LA SAGA DANONE

Son projet économique et social à l'épreuve des faits

www.editions-jclattes.fr

Jérôme Tubiana

LA SAGA DANONE

Son projet économique et social à l'épreuve des faits

Préface de Franck Riboud

JC Lattès

Maquette de couverture : Atelier Didier Thimonier

ISBN : 978-2-7096-4939-1
© 2015, éditions Jean-Claude Lattès
Première édition septembre 2015.

Sommaire

Préface

Voici un livre peu ordinaire. Il aide à comprendre les évolutions sociales des quarante dernières années à travers le prisme d'une grande entreprise.

La littérature sur les entreprises, lorsqu'elle n'est pas une simple affaire d'image, se limite souvent à explorer le seul champ considéré comme légitime : celui des facteurs de la performance. Elle s'aventure parfois du côté de la stratégie et du management mais rarement elle s'intéresse à la dimension sociale des entreprises et à leur rôle dans la société. Il est vrai que si toutes les entreprises ont des convictions en matière de stratégie financière ou de management, toutes n'ont pas forcément dans leurs gènes l'ADN de Danone.

Dès la fin des années 1960, BSN, puis Danone, a non seulement affiché une ambition sociale, mais a fait le choix de considérer qu'elle était indissociable

11

de l'ambition économique, l'une servant l'autre et vice-versa.

Depuis, l'entreprise développée par mon père et que je dirige maintenant a changé de nom, de périmètre, de taille et même de métier, mais elle a conservé intacte, comme une marque de fabrique et, disons-le, une marque d'identité, une forme d'exigence sociale exprimée par Antoine Riboud en 1972 à Marseille.

Cette exigence sociale est fondée sur la conviction de la responsabilité des entreprises vis-à-vis de leurs salariés et de la collectivité.

Que l'on ne se méprenne pas. Danone est une entreprise, une entreprise cotée qui plus est, qui doit répondre aux exigences premières de rentabilité, condition de sa survie et de sa pérennité. Ce n'est ni une association, ni une organisation philanthropique. Son objet n'est pas de changer le monde mais de créer de la valeur pour l'ensemble de ses parties prenantes immédiates : actionnaires, salariés, clients, fournisseurs. La difficulté est que ces différentes parties prenantes ont souvent à court terme des intérêts divergents, et parfois contradictoires, qu'il faut apprendre à concilier dans un projet commun : c'est le sens du fameux double projet économique et social de Danone, qui vise à essayer de dépasser les contradictions.

Cela ne va pas sans mal, ni frottements, conflits et tensions. Cela ne va pas sans déséquilibres parfois :

un peu plus économique à certaines périodes, un peu plus social à certaines autres. Le mot « saga » est pertinent : car ce double projet est bien une aventure au long cours, avec ses rebondissements, ses accélérations, ses coups de frein, avec son souffle, ses moments d'exaltation et parfois aussi de relatif découragement. C'est la grande qualité du travail de Jérôme Tubiana que d'avoir décrit cette histoire sans manichéisme ni complaisance, avec des convictions mais aussi avec recul, en fin connaisseur d'un double projet économique et social, qu'il a contribué à renouveler, transmettre et servir pendant près de quarante ans. Nul mieux que lui ne pouvait en rendre compte dans toute sa richesse et sa complexité.

Franck Riboud

INTRODUCTION

Juin 1968 : Antoine Riboud, profondément marqué par les événements du mois de mai, rédige une lettre qu'il adresse à tout l'encadrement de BSN. Il écrit que désormais BSN (deuxième entreprise verrière française) poursuivra un « double projet » économique et social. C'est-à-dire que le rôle des entreprises est non seulement de rechercher la performance économique pour ses actionnaires, mais aussi le progrès social pour ses salariés.

En octobre 1972, devant 2 000 patrons réunis à Marseille, il développe son message sur la responsabilité des entreprises vis-à-vis de leurs salariés et l'élargit aux responsabilités vis-à-vis de leur environnement. Le double projet devient pour BSN une boussole qui oriente sa manière de penser et d'agir. C'est le début d'une saga sur la relation complexe de l'économique et du social.

Dès 1975, ce discours qui promeut la responsabilité sociale de l'entreprise se heurte à la brutalité de la crise économique, conséquence de l'explosion des prix du pétrole, qui conduit BSN à une restructuration drastique de son activité verre plat.

La question de fond est alors posée :

Le double projet est-il un discours humaniste adapté aux entreprises prospères que l'on met de côté lorsque la situation économique se dégrade ? Pire : est-il un discours publicitaire qui masque une entreprise n'étant finalement, au plan social, pas différente des autres ?

Au contraire, est-il le creuset d'initiatives sociales fortes et originales qui permettent à l'entreprise de se développer, de mieux résister aux différentes crises qu'elle rencontre et d'agir dans l'intérêt de ses salariés et de la collectivité tout en préservant celui des actionnaires ?

Au début des années 1980, BSN cède le verre plat et connaît une décennie de développement. C'est un âge d'or pour le double projet, porté par la problématique de la modernisation négociée qui se concrétise par le rapport *Modernisation, mode d'emploi* rédigé par Antoine Riboud en 1987, à la demande du Premier ministre Jacques Chirac.

Mais une nouvelle fois, la montée du chômage du début des années 1990 place l'emploi au cœur des choix des grandes entreprises. Antoine Riboud renonce en 1993 au dernier moment à une initiative audacieuse, en matière de partage du travail. En 1994, BSN change de nom et devient Danone. En 1996, Franck Riboud succède à son père. Il reprend à son compte l'héritage du double projet mais, très vite, l'internationalisation accélérée du groupe questionne sa pérennité. Au nom du développement dans le monde, la nouvelle génération de managers internationaux tend à le mettre entre parenthèses, au motif que cette idée adaptée à une entreprise dans l'environnement social franco-européen des années 1970 et 1980 est devenue obsolète dans un groupe où la majorité du personnel travaille désormais dans des contextes sociaux radicalement différents d'Asie ou d'Amérique latine. Avec la restructuration de LU annoncée en 2001, le point de rupture est près d'être atteint.

Beaucoup pensent que si l'affaire LU a été désastreuse pour l'image de Danone en France, cela tient à sa réputation sociale qui l'expose plus que d'autres entreprises à la critique en cas de crise. Le double projet est alors perçu par une partie des dirigeants comme un boulet.

Va-t-il être rangé au placard des idées dépassées ? C'est l'inverse qui se produit. Au milieu des années 2000, il retrouve la vigueur de ses meilleures années. Il devient triple projet en s'élargissant au sociétal. La nouvelle mission de Danone, *apporter la santé par l'alimentation pour le plus grand nombre*, met la dimension sociétale au cœur de la stratégie du groupe. Une conséquence est la création de « danone.communities » en 2006, fonds qui finance des *social business* dédiés à l'alimentation saine des populations pauvres, dites du bas de la pyramide. Cette initiative fait suite à la création de Grameen Danone, *social business* créé au Bangladesh dans le cadre d'un partenariat proposé par Muhammad Yunus, le pionnier de la micro-finance et le fondateur de la Grameen Bank. Autre initiative, la création en 2009 du Fonds Danone Écosystème qui vise à renforcer les acteurs de l'environnement économique comme les communautés agricoles ou les territoires dépendants de l'activité des sociétés de Danone.

La saga de Danone est racontée au travers de ses moments clés et ses principales initiatives réalisées depuis mai 1968.

Son originalité tient d'abord à la continuité du double projet de BSN/Danone et aux engagements d'Antoine puis de Franck Riboud. Elle tient aussi à la position un peu exceptionnelle que j'ai occupée dans l'entreprise. Je suis entré chez BSN en stage en mai 1970 et suis parti à la retraite en 2010[1]. Pendant quarante ans, j'ai été proche d'Antoine puis de Franck Riboud. En tant qu'acteur dédié à l'innovation sociale, j'ai été associé à la plupart des initiatives qui sont évoquées. Je m'appuie également sur les nombreux documents que je conserve depuis que j'ai décidé d'écrire ce livre.

J'ai essayé d'être un témoin fidèle des faits, de décrire les choix mais aussi d'évoquer les débats parfois vifs qu'ils ont suscités, de parler des succès et des échecs, des résultats et des transformations.

Un enseignement de cette saga est que si l'économie concurrentielle impose aux entreprises de s'adapter en permanence, elle leur laisse toutefois de réelles marges de manœuvre en matière de création de valeur sociale autant qu'en matière sociétale.

Quel sera l'impact de la crise à l'œuvre depuis 2008 sur le rôle des entreprises ? La situation caractérisée par l'influence dominante des actionnaires dans la gestion des entreprises va-t-elle continuer ? Des signaux vont dans ce sens. Mais simultanément, d'autres signaux annoncent un « new deal »

---

1. Entre 1988 et 2000, j'ai partagé mon temps entre Danone et la Cofremca, un institut d'étude et de conseil, fondé par le sociologue Alain de Vulpian, centré sur l'observation des évolutions sociologiques, leurs conséquences sur la demande des consommateurs, des salariés et des citoyens et les nouvelles réponses à apporter.

entre les grandes entreprises et la société sur ce que le professeur Michael Porter a intitulé la création de valeur partagée. Les entreprises pionnières de cette voie ont des alliés puissants : le pouvoir croissant des consommateurs et des citoyens dont les actions sont amplifiées par la révolution numérique. Je crois que les entreprises qui sauront créer cette alliance construiront leur développement sur des bases plus solides et plus durables.

I

Mai 68 et le discours de Marseille

Les entreprises ont-elles un rôle social ? Oui, répondront de manière unanime les dirigeants d'entreprise. Encore faut-il s'entendre sur le mot social. Il n'y a pas très longtemps, le discours sur le caractère social de l'entreprise se résumait au fait que c'était un lieu qui produit des richesses, emploie des salariés et paie des impôts. Selon cette logique, pour être social, il suffisait de créer de la croissance rentable. Ce discours a une part de vérité mais il néglige les hommes. La plupart des chefs d'entreprise adhèrent aujourd'hui à l'idée que les salariés ont un rôle déterminant dans la performance économique de l'entreprise. Pour assurer des résultats dans la durée, il faut des salariés motivés et formés. Quelques patrons ont une vision plus large du rôle social de l'entreprise ; ils font le constat que les entreprises, surtout les grandes, impactent la société. En conséquence, ils jugent qu'il est de leur responsabilité de contribuer à répondre, dans leur champ d'activités, aux défis qui émergent. C'est l'idée de responsabilité sociale, une idée qui au cours des dernières années a fortement progressé. BSN, sous l'impulsion de son président, Antoine Riboud, s'est engagée très tôt dans cette voie. Les initiatives sociales se sont succédé alternant succès, difficultés et échecs. Le point de départ est précis : ce sont les événements de Mai 68.

Il y a un avant et un après-Mai 68 chez Antoine Riboud. Avant, c'est un chef d'entreprise qui vient de réussir à quarante-huit ans le premier grand coup de sa carrière d'industriel : la création de BSN dont il devient le président suite à la fusion de son entreprise Souchon-Neuvesel avec Boussois. Après, c'est un patron qui, tout en construisant un puissant groupe industriel, s'engage sur la responsabilité sociale des entreprises. En octobre 1972, il devient un acteur de la vie publique en présentant devant 2 000 dirigeants aux assises du patronat à

Marseille un véritable manifeste sur le rôle des entreprises. Les réponses qu'il propose, il les mûrit depuis le choc qu'il a reçu lors des événements de Mai 68.

1. La création de BSN (1966)

Le 25 février 1966, au terme d'une longue négociation, les glaces de Boussois et les verreries Souchon-Neuvesel annoncent leur fusion et la création de BSN. Boussois est le n° 2 du verre plat en France, derrière Saint-Gobain, le leader européen, et Souchon-Neuvesel le leader français du verre d'emballage (bouteilles, flacons, pots en verre). Le groupe qui naît de cette union emploie 8 800 personnes, il devient derrière Saint-Gobain l'autre grande société verrière française.

Son président s'appelle Antoine Riboud. Il est né à Lyon et, après des études commerciales, il est entré en 1943 chez Souchon-Neuvesel, une entreprise lyonnaise présidée par son oncle et dont sa famille était actionnaire majoritaire. Après avoir gravi tous les échelons, il en devient en 1958 le directeur général. Principal architecte de la fusion, il est nommé PDG de BSN alors que Souchon-Neuvesel valait deux fois moins que Boussois au moment de la fusion.

Avec le vice-président, Philippe Daublain, issu de Boussois, et Jean-Léon Donnadieu, directeur de l'organisation et de la formation, la nouvelle équipe s'attelle à la consolidation de BSN. C'est dans ce contexte que surviennent les événements de Mai 68.

2. Mai 68 et la naissance du double projet

Les patrons français vivent Mai 68 comme une agression. Les usines sont occupées, les patrons sont conspués. La longue grève générale menace la survie même de leur entreprise. Face à cette crise sans précédent, ils supportent mal l'État impuissant, l'autorité partout mise en cause. Ils jugent les accords de Grenelle comme une capitulation du gouvernement face aux syndicats révolutionnaires, avec l'augmentation sans précédent du SMIC et le droit donné aux syndicats de désigner des délégués qui ont le pouvoir de négocier alors qu'ils ne sont pas élus par le personnel. Ce nouveau droit est vécu comme un renforcement considérable du pouvoir des syndicats au détriment de l'autorité de l'encadrement dans les usines.

Les usines de BSN sont en grève à l'unisson des entreprises françaises.

Jean-Léon Donnadieu témoigne[1].

> Nous n'avions plus aucune relation avec nos usines : plus de trains, plus d'essence, plus de courrier, plus de téléphone... Nous avons réuni les directeurs du Nord à Ham pour leur parler et leur remonter le moral. Nos usines fonctionnaient parce qu'arrêter les fours de verre aurait condamné l'outil de production. Sur le terrain, aucun de nos fours n'a été coulé, bien qu'il y ait eu des menaces.

Dans ce contexte ressenti sur le moment comme quasi révolutionnaire, BSN va réagir de manière très différente de celle de la plupart des entreprises et cette différence vient de l'attitude d'Antoine Riboud. Alors que, pour la grande majorité des patrons français, Mai 68 est un traumatisme qu'il convient d'effacer rapidement, pour Antoine Riboud, c'est un défi passionnant à relever.

Il observe personnellement les événements, se promène dans le quartier Latin, discute avec les

_____

1. Entretien à Dax.

étudiants le soir dans les cafés. Il y voit le signe d'un changement social et culturel profond. Pour réfléchir à leur signification et dégager les conséquences à en tirer pour son entreprise, il réunit ses collaborateurs directs pendant une journée, dans sa maison du lac d'Annecy, le 18 juin. Jean-Léon Donnadieu se souvient : « Antoine pensait qu'on ne pouvait plus diriger les entreprises comme avant. Il est arrivé avec son texte. C'était son premier acte fort en matière sociale ; il en était conscient. On en a discuté, on a un peu amélioré la forme. Il a été postdaté d'un jour, pour éviter l'amalgame avec l'appel du 18 juin. »

Le texte rédigé par Antoine Riboud est le suivant (extrait) :

> Les événements actuels nous ont amenés à réfléchir et préciser les buts de notre société et les méthodes dans le cadre desquelles l'action de chacun doit s'inscrire. BSN a l'objectif absolu d'être la meilleure société en Europe dans son domaine afin que le personnel y trouve son épanouissement et la réalisation de ses aspirations, que la clientèle soit satisfaite de la compétitivité et de la qualité de ses produits, que les actionnaires aient confiance dans son avenir.

Pour atteindre ces buts économiques et humains indissociables, BSN doit satisfaire à certains impératifs :

• sur le plan économique : abaisser le prix de revient des produits, accroître les investissements, faire de la recherche, répartir les profits entre le capital, l'entreprise et le personnel suivant une formule à trouver ;

• sur le plan humain : ouvrir la formation permanente à tous les membres de BSN ; instaurer l'information réciproque et active à tous les échelons ; rechercher la sécurité de l'emploi et la possibilité d'évolution des carrières par l'expansion de nos marchés traditionnels, la diversification de nos activités industrielles, la mobilité du personnel ; permettre à chacun de trouver dans son travail les satisfactions intellectuelles désirables, tout en participant au développement de BSN, en suscitant l'esprit inventif et créateur dans tous les domaines.

Ce texte, d'apparence banale aujourd'hui, définissait à l'époque une conception humaniste de l'entreprise en mettant les salariés sur le même plan que les actionnaires et en affirmant le caractère indissociable des objectifs économiques et humains.

Adressé aux 400 cadres et aux 1 200 agents de maîtrise de la société, il est le point de départ de plusieurs initiatives, notamment la création d'un centre de formation pour l'encadrement à Saint-Andéol près de Lyon, et la négociation d'un nouveau statut des ouvriers dans le cadre de leur mensualisation.

3. L'engagement social d'Antoine Riboud

En 1968, Antoine Riboud a 50 ans. Jusque-là il ne s'était pas manifesté au plan des idées ou des initiatives dans le champ social, alors que dans les années 1970 et 1980, il deviendra le symbole du patron engagé. Comment expliquer cette évolution ?

L'effet Mai 68

La première réponse, Antoine Riboud le dit lui-même[1], c'est Mai 68 :

> Pourquoi me suis-je engagé dans le combat social ?
> Il y a des explications qui tiennent à l'enfance, à l'adolescence, à l'éducation et au milieu dans lequel

---

1. Antoine Riboud, *Le Dernier de la classe*, Grasset – 1999.

j'ai grandi. J'ai agi en réaction contre un milieu bien-pensant. Je suis non-conformiste.

Mai 68 a été un puissant révélateur. J'avais de la sympathie pour leur slogan : « Il est interdit d'interdire. » Je n'étais pas libertaire, mais cette jeunesse m'apportait une sorte de revanche contre l'éducation à base d'interdits qui m'avait été inculquée. La morale bourgeoise volait en éclats.

Adolescent, j'ai souvent éprouvé un sentiment de révolte qui m'isolait des autres et me tourmentait. En 68, c'est une désobéissance collective, enfin.

Ils tiraient un trait sur une époque d'autorité absurde.

Je me demandais comment nous allions pouvoir gérer nos entreprises dans un pareil contexte. La remise en cause de toute autorité.

Les salaires ne pouvaient résoudre tous les problèmes.

C'était la question d'« être » qui motivait ces jeunes. La génération de Mai 68 s'interrogeait surtout sur les finalités de la société dans laquelle elle vivait et sur la légitimité des entreprises.

Mai 68 a été, pour moi, la révélation que tout le système ancien allait être rejeté et qu'il fallait résolument transformer la vie au travail.

Un défi nommé Jean Riboud

L'enfance n'explique pas l'engagement social d'Antoine Riboud mais elle éclaire sa personnalité et son rejet des conventions. La préférence manifestée par ses parents à l'égard de son frère Jean nourrit chez lui une sensibilité forte à l'injustice et un caractère de compétiteur.

Les pages qu'il[1] consacre à son enfance sont saisissantes. Au soir de sa vie, il éprouve le besoin de dire combien, enfant, il a été complexé face à un frère trop brillant et trop aimé par ses parents :

> Je suis né le jour de Noël 1918.
>
> Caractère combatif dans les affaires comme dans le sport, j'ai toujours voulu gagner. Dix mois après ma naissance, naît un gros bébé en excellente santé, on lui donnera le prénom de Jean. Mauvais élève, jamais attentif, toujours turbulent, frondeur, en révolte. J'étais rachitique. J'étais toujours dans les derniers de la classe. Mon frère Jean était chaque fois dans les premiers. Mes parents ont toujours traité Jean comme s'il était le plus âgé. Ils le préféraient. Mon frère Jean était beau, brillant et malin. Il se montrait plus intelligent

---

1. Antoine Riboud, *Le Dernier de la classe, op. cit.*

que moi, plus doué. Jean eut toujours beaucoup de copains ; je n'ai jamais été admis dans aucun de ses groupes.

J'ai le souvenir d'un incident qui m'a marqué. Je devais avoir une douzaine d'années. Nos parents décident de m'envoyer avec Jean dans une troupe scoute pour passer l'été et nous forger le caractère. Les adolescents, promus chefs, doivent d'abord sélectionner parmi les petits ceux qu'ils ont envie de prendre dans leurs patrouilles. Nous étions, je crois, une petite vingtaine à attendre d'être choisis. Très vite, les grands et les costauds trouvent preneurs. Et moi, je reste sur le carreau tout seul. Visiblement mon apparence me dessert, je n'ai pas le physique de l'emploi. J'entends, enfin, qu'on prononce mon nom.

Le chef de la patrouille des Écureuils m'a finalement récupéré. J'avais envie de l'embrasser.

J'étais président de Souchon quand mon frère devint président de Schlumberger. Je lui ai aussitôt envoyé un télégramme : « Suis heureux de te féliciter de m'avoir rattrapé. » Il a bien ri. Entre nous, une saine complicité avait remplacé la jalousie et l'admiration que je lui ai longtemps vouées durant mon adolescence.

L'expérience du monde ouvrier

Entre la personnalité forgée dans l'enfance et les
événements de Mai 68, un autre moment est essentiel : l'expérience acquise dans les usines au contact
des ouvriers et des syndicats. Toute sa vie, Antoine
Riboud[1] aura une sympathie instinctive pour les
ouvriers, milieu qu'il a bien connu au cours des
années de sa carrière passées en usine.

> À vingt-trois ans, j'étais stagiaire à Rive-de-Gier.
> Quand je rentrais le soir, je me retrouvais confor-
> tablement installé chez moi. Les ouvriers eux
> n'avaient que la rue ou le café pour se détendre.
> J'ai acheté une maison à Rive-de-Gier et j'en ai fait
> une maison de jeunes.

Curieux des gens et porté vers eux, il comprenait
assez naturellement les syndicalistes. Il était social,
par la tradition paternaliste de sa famille mais aussi
par instinct. Il était convaincu que l'attitude des
ouvriers et des syndicalistes était la réponse à l'attitude des directions et qu'en changeant l'une on
pourrait influencer l'autre. Une de ses phrases favo-
rites était : « L'ignorance des ouvriers en matière

---

1. *Ibid.*

économique n'a d'égale que l'ignorance des cadres et des ingénieurs en matière de culture ouvrière. »

L'artiste de la famille

L'engagement d'Antoine Riboud, c'était aussi un style unique parmi les patrons. Voici comment Marc Riboud, grand photographe, évoquait son frère lors de son enterrement, le 17 mai 2002 :

> D'une tape affectueuse dans le dos, Antoine m'appelait quelquefois « l'artiste de la famille » pour ne pas dire le saltimbanque. Je n'étais ni l'un ni l'autre. L'artiste de la famille dans le sens le plus noble du mot, c'était Antoine. Artiste il l'était parce qu'il a créé un style. Et le style, chacun le sait, est le privilège de l'artiste. Son style était un dosage secret dont personne n'aura jamais la formule. Un mélange subtil de ruse, de rire et d'envie de faire rire, de sagesse profonde, d'audace mêlée d'un brin de moquerie. Comme les artistes, il avait le courage de ses intuitions mais son flair savait aussi lui dicter la prudence. Comme les photographes, il avait l'instinct de l'instant. Et là, je sais de quoi je parle.

4. Du verre à l'alimentaire

L'OPA sur Saint-Gobain (1968)

La véritable naissance de BSN et d'Antoine Riboud dans le grand public est l'OPA contre Saint-Gobain déclenchée fin 1968. La première OPA hostile menée en France passionnera l'opinion.

L'idée est de faire face à la révolution technologique du « float-glass ». Il s'agit d'un procédé révolutionnaire de fabrication de verre plat mis au point par l'industriel anglais Pilkington. Un « float » produisait avec un effectif de 300 personnes 600 tonnes de verre de meilleure qualité que deux fours de verre à vitre de 300 tonnes employant 1 200 personnes. Le passage d'un procédé à l'autre était inéluctable, toutes les usines de verre à vitre étaient à moyen terme condamnées. La seule incertitude était la durée que prendrait la transition compte tenu du coût très élevé des investissements. Les discussions entamées pour rationaliser les investissements et spécialiser les usines se heurtent à un refus définitif du président de Saint-Gobain, Arnaud de Vogüé. Suite à cet échec, Antoine Riboud décide de passer à l'offensive et de lancer le 21 décembre 1968 une OPA contre Saint-Gobain dont la taille est trois fois celle de BSN. C'était la première fois qu'en France une telle initiative était entreprise.

C'est un choc frontal entre l'*establishment* symbolisé par le président de Saint-Gobain avec ses alliés Suez et la Banque de l'Union Européenne et des hommes qui resteront les amis fidèles d'Antoine Riboud pendant toute sa vie : Michel David-Weill, patron de Lazard, Renaud Gillet, le futur président de Rhône-Poulenc, Jérôme Seydoux associé de la banque Neuflize-Schlumberger et Jacques de Fouchier, PDG de Paribas. Les coups bas pleuvent dans les médias et les passions se déchaînent. *Le Figaro* titre « Le Mai 68 de l'industrie : un jeune aventurier bouscule une vieille dame très digne ». Deux attentats à la bombe endommagent la même nuit l'un le siège de BSN boulevard Malesherbes, l'autre le domicile privé d'Antoine Riboud boulevard Saint-Germain.

L'OPA va échouer en raison de la défense acharnée de Saint-Gobain qui fait racheter ses actions par ses alliés. Le cours de Saint-Gobain dépasse alors le prix offert par BSN. Plutôt que de surenchérir, Antoine Riboud décide de renoncer. Avec le recul, il dira publiquement combien il a été heureux de cet échec.

Du contenant au contenu (1970)

Antoine Riboud rebondit très vite après l'OPA. Il imagine une nouvelle stratégie fondée sur l'autre pôle de BSN : les bouteilles, dont la demande explose en raison du passage rapide du verre consigné à l'emballage perdu dans la bière et l'eau minérale. Il décide de sécuriser les ventes de bouteilles et de pots en verre en rachetant ses principaux clients. Il dispose d'un atout-clé, la participation de BSN dans le capital d'Evian. Au premier semestre 1970, BSN mène une campagne foudroyante d'acquisitions, dans les eaux minérales avec Evian et Badoit et leur filiale Blédina, dans la bière avec Kronenbourg et l'Européenne de Brasserie. BSN, groupe verrier, devient alors également le premier groupe de boissons en France.

Les hommes, ciment de BSN

Le changement de taille et de métier implique une profonde transformation de la gestion du groupe et de sa culture. Antoine Riboud veut absolument éviter la constitution d'un conglomérat financier, il veut créer un groupe industriel capable de fédérer le verre et l'alimentaire. Il décide que l'unité du groupe se fera autour des hommes et du double projet, et nomme en conséquence, en septembre 1970, Jean-Léon Donnadieu, directeur général des relations humaines. Il est le premier responsable des relations humaines en France à avoir le statut de directeur général.

Il m'est apparu indispensable de situer au même niveau les questions financières et les questions humaines. Cet équilibre est la base de notre philosophie de gestion. Jean-Léon Donnadieu a été une figure emblématique des relations humaines en France. À mes côtés, il a construit la politique de BSN dans ce domaine. Pendant près de vingt ans il a contribué, plus que quiconque, à forger l'âme de notre groupe.

Par cette promotion, c'est non seulement Jean-Léon Donnadieu que l'on promeut, c'est toute la fonction relations humaines qui acquiert un statut et une influence qui sont et resteront longtemps une caractéristique distinctive de BSN.

5. Le discours de Marseille (octobre 1972)

La période de 1969 à 1972 est caractérisée par la croissance, le plein emploi mais aussi par des conflits durs, porteurs de nouvelles revendications.

Le Premier ministre, Jacques Chaban-Delmas, marque les esprits en 1969 avec son discours sur la nouvelle société, point de départ d'un âge d'or pour la politique contractuelle. De nombreux accords sont signés au niveau des branches professionnelles et des entreprises. Les résultats sont substantiels : augmentation du pouvoir d'achat, réduction de la durée du travail, extension de la protection sociale, nouveaux droits syndicaux, mensualisation des ouvriers qui, jusque-là, étaient payés à la semaine ou même à la journée. La mesure phare de cette période est la loi sur la formation permanente du 6 juillet 1971, préparée par Jacques Delors, conseiller social de Chaban-Delmas.

C'est également, en Europe et aux États-Unis, une période de remise en cause du travail à la chaîne et des organisations tayloriennes marquée par une série de conflits durs qui ont marqué l'histoire sociale de la France : la grève des OS à l'usine Renault du Mans, le conflit Pechiney à Noguères, le Joint Français à Saint-Brieuc. C'est la grande période du mouvement « Quality of working life » en Europe et aux États-Unis, avec des expériences phares chez Volvo, Olivetti, General Foods, Philips, etc.

En France, Leroy-Somer à Angoulême, Rhône-Poulenc Textile à Arras et Besançon, Faiveley à Tours, Renault en matière d'ergonomie sont, avec quelques autres, les entreprises pionnières de ce mouvement.

Pour stimuler les initiatives, l'État crée l'ANACT (Agence Nationale pour l'Amélioration des Conditions de Travail) dont la mission est d'initier et de diffuser les bonnes pratiques en matière d'organisation et de conditions de travail.

L'aventure du discours

En mai 1972, Antoine Riboud est sollicité pour faire une importante intervention aux assises du CNPF à Marseille devant 2 000 chefs d'entreprise.

Cette proposition est portée par les modernistes comme François Dalle opposés au patronat conservateur dont Ambroise Roux, le puissant patron de la CGE et vice-président du CNPF, et François Michelin sont les représentants les plus connus. Ces divisions sont le reflet du débat en France qui se durcit.

Les assises ont pour thème « La croissance et l'entreprise ». Elles sont placées sous la responsabilité d'Ambroise Roux et de François Ceyrac, qui deviendra patron du CNPF à l'issue des assises.

Le rapport demandé à Antoine Riboud porte sur « La croissance et la qualité de vie ». Dans le schéma fixé par les organisateurs, il doit essentiellement aborder le problème des nuisances industrielles et les moyens d'y remédier[1] :

---

1. Antoine Riboud, *Le Dernier de la classe, op. cit.*

Cette démarche de la part du CNPF était un peu étonnante. L'OPA sur Saint-Gobain et mes prises de position en mai 1968 donnaient de moi une image assez peu admise dans le patronat traditionnel.

L'OPA sur Saint-Gobain avait été jugée comme une impertinence vis-à-vis de l'establishment dont je ne faisais pas partie. Mais la réussite du groupe que je dirigeais me valait la considération curieuse de beaucoup de patrons.

C'était l'aboutissement de mes réflexions de Mai 68. Le double projet économique et social de BSN trouvait là sa consécration.

Antoine Riboud n'a aucunement l'intention de traiter le sujet qui lui a été imparti. Il n'entend pas réduire la qualité de la vie à la préservation de l'environnement. Les organisateurs attendaient de lui un discours sur l'écologie, sur l'épuration des eaux : « Ils voulaient me faire parler des bassins de décantation. »

Son ambition est de répondre aux revendications exprimées par les étudiants, qui en mai 1968, ont manifesté brutalement leur rejet de la société de consommation, et de prendre position face au rapport du Club de Rome rédigé par des experts du MIT, qui vient d'être publié en français sous le titre provocateur de *Halte à la croissance*.

Il veut aussi proposer des pistes face à la remise en cause dans les usines des conditions de travail, de l'organisation et du commandement de l'encadrement. D'autant que BSN a connu un conflit dur à l'usine d'Amphion où est embouteillée l'eau d'Evian, mettant en évidence des relations très conflictuelles entre les ouvriers et l'encadrement.

De mai à juillet, deux groupes de réflexion, associant quelques jeunes cadres de BSN dont j'ai la chance de faire partie et quelques jeunes hauts fonctionnaires, accomplissent un important travail de préparation.

Jacques Attali, qui avait noué à l'occasion de son stage de l'ENA une relation étroite avec Antoine Riboud, anime le groupe sur les relations entreprise-société ; Gérard Mital, consultant chez McKinsey et gendre d'Antoine Riboud, anime le groupe sur les relations entreprise-salariés. Plusieurs séminaires de travail sont organisés dans la propriété d'Antoine Riboud sur le lac d'Annecy, avec la participation d'invités marquants comme le prêtre ouvrier et polytechnicien Jean Girette, auteur du livre *Je cherche la justice*, ou Bertrand Schwartz, le pionnier de la formation permanente en milieu industriel. Fin juillet, Antoine Riboud dispose de dizaines de fiches d'analyse et de propositions et s'attelle à leur synthèse. En septembre, il teste, complète et enrichit.

Arrive le 25 octobre. Les organisateurs sont inquiets. Antoine Riboud n'a pas travaillé avec eux ni pris en compte les idées du CNPF. On murmure qu'il va défendre des positions opposées à celles du CNPF sur des sujets brûlants (par exemple le salaire minimum à 1 000 francs). C'est Ambroise Roux qui doit présider la séance de l'après-midi au cours de laquelle Antoine Riboud va parler.

Le matin, fort de son autorité, il exige d'avoir au préalable communication du texte dans son intégralité[1] :

> Je suis convoqué dès 9 heures du matin par Ambroise Roux. Il me déclare que, présidant la séance pendant laquelle je prononcerai mon discours, il veut avoir, sans délai, connaissance de mon texte. Je refuse. Je ne veux pas que mon texte soit dévoilé, qu'on me demande des corrections. Je suis venu ici libre, je le resterai. Si vous continuez à me menacer, je ne viendrai pas devant l'assemblée cet après-midi. Je vais louer un cinéma en ville où je convoquerai la presse et tous mes amis. J'y ferai mon discours. C'est à prendre ou à laisser.

---

1. Antoine Riboud, *Le Dernier de la classe*, op. cit.

Je me souviens d'Antoine Riboud, rentrant furieux de sa réunion avec la petite équipe qui l'avait accompagné à Marseille :

> Ambroise Roux veut me censurer aussi j'ai décidé de tirer à cent exemplaires mon discours et le remettre aux personnalités et aux journalistes.
>
> — Antoine, il est 11 heures, le discours fait 20 pages, il est impossible de photocopier 2 000 pages d'ici 14 heures.
>
> — J'ai la solution, passez-moi le directeur d'IBM à Marseille.
>
> Il téléphone ainsi chez IBM, au Crédit Lyonnais et à la Société Lyonnaise de Banque en tenant le discours suivant :
>
> — Bonjour, Antoine Riboud, oui, le président de BSN, merci de mettre votre photocopieur à la disposition des personnes que je vous envoie tout de suite.

Un quart d'heure plus tard, nous nous retrouvons Patrice, le fils aîné d'Antoine Riboud et moi, au siège régional du Crédit Lyonnais où se trouvait la photocopieuse la plus rapide de Marseille. À raison de 15 secondes par page, nous réussissons à photocopier 25 exemplaires du discours en deux heures. Lorsque nous arrivons dans la salle des congrès, l'excitation est manifeste. La rumeur du clash entre Roux et Riboud avait créé une forte attente : les journalistes se précipitent sur nous pour obtenir une copie du discours. Ils ont le sentiment qu'ils vont assister à un événement.

Le discours de Marseille (extraits)

Il n'y a qu'une seule terre. On ne vit qu'une seule fois.

La croissance économique, l'économie de marché, ont transformé, bouleversé le niveau de vie du monde occidental. C'est indiscutable. Mais le résultat est loin d'être parfait.

D'abord, cette croissance n'était pas porteuse de justice ; trop nombreux sont encore ceux qui se trouvent en dessous d'un seuil acceptable de bien-être, que ce soit dans la cité ou dans l'entreprise. Il n'est pas possible d'admettre que la croissance abandonne derrière elle autant de « laissés-pour-compte » : les vieillards, les inadaptés, les malades et surtout les travailleurs, qui sont nombreux à bénéficier insuffisamment des fruits de la croissance.

Ensuite, cette croissance engendre des nuisances à la fois collectives et individuelles. Elle a souvent sacrifié l'environnement et les conditions de travail à

44

des critères d'efficacité économique. C'est pourquoi elle est contestée, et mieux parfois rejetée comme finalité de l'ère industrielle.

Aujourd'hui, les hommes exigent une finalité qui leur autorise un choix, qui leur permette de tenir compte de la qualité de leur vie.

Laisser faire plus longtemps ; continuer à faire confiance à la Loi du Hasard nous conduirait immanquablement à la Révolution.

Comment pouvons-nous relever ce défi ? [...] Nous devons nous fixer des objectifs humains et sociaux. C'est-à-dire :

– d'une part, nous efforcer de réduire les inégalités excessives en matière de conditions de vie et de travail,

– d'autre part, nous efforcer de répondre aux aspirations profondes de l'Homme et trouver les valeurs qui amélioreront la qualité de sa vie en disciplinant la croissance. Il conviendra ensuite d'appliquer ces valeurs dans la vie collective et dans la vie de l'entreprise.

Premier objectif : réduire les inégalités excessives. Devant le porte-monnaie vide, ne parlons pas de choix ou de qualité de la vie.

Dans tous les pays développés, l'enrichissement de la nation s'accompagne d'une aggravation de l'état des plus défavorisés ; pour tous ceux qui ressentent combien leur situation est inférieure à celle de leurs concitoyens, il faut redonner l'espérance d'un changement.

Dans nos sociétés modernes, il faut convenir que l'inégalité excessive est partout : elle est dans les salaires, dans les conditions de travail, de logement, de transport, d'accès à la culture et aux loisirs ; elle est dans la frustration ressentie par tous ceux qui, encerclés par la publicité, ne peuvent s'offrir le millième de ce qu'on leur dit « être indispensable à leur bonheur ».

L'objectif prioritaire est la réduction des inégalités excessives et la disparition des situations matérielles qui se trouvent en dessous du seuil de bien-être. C'est une question de conscience collective.

Que l'on ne nous affirme pas à l'encontre de cet impératif que ce soit la ruine de l'économie ou alors nous ne sommes pas un pays riche.

Cette priorité sociale étant ainsi définie, poursuivons nos réflexions.

Il semble aujourd'hui que le bien-être matériel, le confort ménager, la radio, la télévision s'accompagnent d'un refrain « métro, boulot, dodo ». Pour beaucoup, c'est le « ras-le-bol ».

Vous avez reconnu les slogans de Mai 68. Comment sommes-nous arrivés à ces journées révolutionnaires qui nous ont montré une société bloquée ? La croissance a permis une très large démocratisation de la consommation mais aujourd'hui, pour beaucoup, produire et consommer devient une valeur insuffisante et, en allant même plus loin, l'abus de biens de consommation finit par aliéner la personnalité. Le développement de la radio et de la télévision par la croissance a répandu l'information et démocratisé le Savoir. Alors, comment imaginer qu'un être humain ayant atteint la Culture et le Savoir du secondaire, de l'université et de la formation bientôt permanente, puisse admettre de se voir refuser le libre choix de son destin, pour obéir à une société industrielle complètement anonyme, dont les finalités lui échappent ?

Refuser l'utilisation du savoir, cela reviendrait à donner une Honda 750 à tous les passionnés de la moto avec l'interdiction de s'en servir. Obligation de laisser sa moto au garage ! C'est ce que Raymond Aron appelle la désillusion du progrès.

- Faut-il arrêter le savoir ?
- Faut-il arrêter la croissance économique ?
- Faut-il renvoyer tous les hommes vers ce lieu de travail plus humain qu'est la campagne ? Non,

47

tout ceci est impossible – même absurde. L'arrêt de la croissance économique aurait comme conséquence de réserver une vie de qualité à ceux qui en bénéficient déjà.

• Stopper la recherche et son développement reviendrait à refuser de trouver les solutions techniques moins coûteuses aux problèmes de la pollution, de l'aménagement du travail, de la décentralisation, de la restructuration de nos villes, etc.

Que faut-il rechercher ? Il faut trouver des valeurs nouvelles recréant la qualité de la vie dans la réalité industrielle du monde actuel.

Dans cette optique, Jean Boissonnat déclarait : « Aux revendications d'Avoir, viennent se mêler les revendications d'Être et de Pouvoir. »

Avoir, c'est obtenir sa part des richesses que l'homme extirpe à la terre par la croissance.

Être, c'est avoir une place et comprendre son rôle dans la pyramide de l'entreprise.

Pouvoir, c'est pouvoir mettre sa propre créativité au service de son activité et pouvoir faire preuve d'initiative face à ses responsabilités.

Mais, à ces deux revendications d'Avoir et d'Être, on oppose les besoins de l'Efficacité. On ne jure que par la compétitivité, la flexibilité, le rendement, les choix prioritaires, la rentabilité, etc.

Si l'on veut que la qualité de la vie devienne une réalité, le critère d'Efficacité devra intégrer les valeurs de l'Être et perdre la priorité qu'il a connue ces trente dernières années.

Le nouveau défi de l'homme politique et de l'entrepreneur, c'est d'arriver à équilibrer, à intégrer quatre valeurs : la solidarité, la responsabilité, la personnalisation, sans oublier au niveau des moyens l'objectif souligné par Roger Garaudy : « Les choses doivent se faire avec et par les hommes et non pour eux. » C'est clair, la croissance ne devra plus être une fin en soi, mais un outil qui, sans jamais nuire à la qualité de la vie, devra au contraire la servir.

Abordons maintenant le problème de la croissance et de la qualité de la vie au niveau de la collectivité d'abord et de l'entreprise ensuite.

I – LA COLLECTIVITÉ

La responsabilité de l'entreprise ne s'arrête pas au seuil des usines ou des bureaux. Son action se fait sentir dans la collectivité tout entière et influe sur la qualité de la vie de chaque citoyen.

• Du logement à la poudre à laver, l'entreprise est concernée : elle crée, elle produit, elle vend.

Bien plus, les emplois qu'elle distribue conditionnent la vie tout entière des individus.

• Par l'énergie et les matières premières qu'elle consomme, par les nuisances qu'elle engendre, elle modifie peu à peu l'aspect et même, disent certains, l'équilibre de notre planète.

Le public se charge de nous rappeler nos responsabilités dans cette société industrielle.

• Un indice de notre responsabilité aux yeux du public : les associations qui se créent presque chaque jour pour la défense de la qualité de la vie. Cela va « des consommateurs aux moyens de transport en commun » en passant par les « défenseurs d'une rangée de platanes ».

Locales ou nationales, toutes ces associations, tous ces groupes de pression, traduisent la même volonté : des citoyens solidaires qui se sentent concernés par un problème et décident de prendre en main leurs affaires. Ils pensent qu'ils sont à même de proposer des solutions meilleures et constructives.

Ce nouveau droit à la parole est un complément de la démocratie politique : celle du droit de vote. C'est un mode d'expression moderne qui correspond à l'ère industrielle dans laquelle la croissance nous a installés. Devant cette nouvelle maturité collective de l'Homme, comment l'entreprise va-t-elle réagir ?

Nous devons mettre la même énergie pour comprendre les aspirations des collectivités locales, de l'État, que celle que nous avons déployée pour comprendre l'appétit des consommateurs.

Notre collaboration avec ces interlocuteurs doit s'établir en deux phases :

– D'abord, informer et écouter les groupes de citoyens qui parlent au nom de la qualité de la vie. Nous ne devons pas les contrecarrer, les museler. Au contraire, nous devons souhaiter leur développement, leur expression et leur indépendance, pour qu'ils deviennent des interlocuteurs valables. Comment ? En leur fournissant une information sincère. Aujourd'hui, beaucoup de campagnes lancées par ces groupes de consommateurs et de citoyens paraissent injustifiées. La faute en est bien souvent dans notre camp. À naviguer dans le brouillard, les attaquants choisissent mal leur cible. Nous avons mis trop longtemps pour reconnaître les syndicats comme les représentants privilégiés des salariés. Ne commettons pas aujourd'hui la même erreur !

– Ensuite, négocier le changement et le planifier avec les groupes de pression, les collectivités locales, et les Pouvoirs Publics.

– Beaucoup voient rouge lorsque l'on prononce le mot État, pourtant devant l'ampleur des problèmes auxquels l'État est confronté en matière de qualité de la vie, la participation des chefs d'entreprise aux grands débats de la planification est fondamentale. Il nous faut assumer nos responsabilités en participant au débat sur les grandes options et à la mise en œuvre des décisions.

Ce dialogue peut être très positif comme en témoigne l'accord récent entre les industries de la pâte à papier et le ministère de l'Environnement sur une diminution progressive de la pollution de l'industrie du papier. Dans d'autres cas, ce sont les industriels eux-mêmes qui prennent l'initiative. Par exemple « Vacances Propres » ayant pour but de rappeler aux consommateurs de vacances qu'ils ne doivent laisser traîner leurs emballages plastiques ; que la commodité de l'emballage perdu ne devienne pas une calamité publique.

Mettons notre dynamisme créateur au service de tous les problèmes collectifs où l'entreprise est impliquée. Ce sera le corollaire de ce qui reste notre action majeure, celle que nous devons mener dans l'entreprise, où, plus qu'ailleurs, nous serons tenus pour responsables des échecs et des réussites.

2 – L'entreprise

D'abord, je veux parler des problèmes de revendications, d'Avoir, c'est-à-dire essentiellement des revendications sur les salaires.

À la base, il me faut rappeler le divorce qui existe entre l'Homme producteur (l'Homme à son travail) et l'Homme consommateur (l'Homme chez lui).

Dans la première situation, on trouve : rigueur, automatisme, obéissance et insécurité.

Dans la seconde situation, on découvre libération, fantaisie, loisirs, voyages, etc.

Quel écart entre les données économiques qui freinent les augmentations de salaires et les arguments publicitaires qui poussent à la consommation. Ne faut-il pas être un héros pour comprendre ?

Aujourd'hui, tout le monde admet que l'équilibre entre les revendications d'Avoir et les contraintes économiques de l'entreprise est le fruit de négociations, quelquefois même d'affrontements, entre les syndicats et la direction de l'entreprise. Chacun est dans son rôle.

Satisfaire les revendications d'Être, c'est mettre en place les valeurs de solidarité, de responsabilité, de personnalisation. Comment s'y prendre ? Voilà le problème.

L'entreprise devra élaborer un Plan Social et Humain à 5 ans ayant pour objet de fixer les objectifs d'Être, à l'exclusion des revendications d'Avoir.

Ce plan comprendra les aspirations de la base, de l'atelier, de la maîtrise, des cadres, chacun ayant fait appel aux compétences de tous les groupes professionnels existants, tels que les syndicats, les comités d'entreprise et leurs commissions spécialisées, la médecine du travail, etc.

Comment faire un tel plan ?

Il faut d'abord dresser un inventaire des problèmes, arriver à connaître atelier par atelier ce qui ne va pas et obtenir que chaque groupe participe à cet inventaire. Que de choses simples mais totalement inconnues seront découvertes !

Des réformes plus profondes devront être programmées suite à cet inventaire.

Je voudrais vous parler de celles que je considère comme prioritaires.

Améliorer les rapports entre les hommes

C'est sûrement le problème le plus difficile car les tensions sont toujours délicates à déceler.

L'analyse systématique en la matière doit permettre de déceler et résorber les humiliations, les tracasseries, le fait que personne n'écoute personne, que personne ne réponde à personne, la hiérarchie qui contrôle sans aider ou qui s'enferme dans son pouvoir et dans son bureau.

Nous devons recréer dans le travail, le groupe, l'équipe, la communauté et créer un terrain favorable à l'apprentissage de valeurs telles que : Responsabilité, Solidarité, Personnalisation.

Augmenter la sécurité de l'emploi

C'est un vrai problème car il met en cause le besoin de sécurité et de dignité. Et pourtant, interdire les licenciements, c'est renoncer à l'économie de marché. Alors que faire ?

Pour les grandes entreprises, les règles du jeu doivent être beaucoup plus sévères que pour les petites et moyennes entreprises. Comme l'écrit Octave Gélinier : « En économie de marché, il est normal que tout se paye. La mobilité doit se payer et se payer cher. »

Il est certain qu'en présence d'une récession économique, licencier du personnel devrait n'être que l'ultime solution.

L'Être humain ne doit pas être considéré comme une simple valeur ajoutée que l'on pourrait éliminer pour satisfaire à l'efficacité.

Pour couvrir le problème de l'emploi, le plan humain et social devra donc s'intéresser à la gestion prévisionnelle des effectifs en quantité et en qualité.

Favoriser l'information

Sujet immense couvrant à la fois les valeurs de personnalisation et d'efficacité.

La première tâche de l'information, c'est de porter les faits à la connaissance du personnel de l'entreprise.

La deuxième tâche, c'est de porter à la connaissance de tout le personnel les règles du jeu de l'entreprise :

Son organigramme,

Les définitions de fonction,

Les critères d'appréciation de la hiérarchie,

Le guide des salaires, etc.

On voit que la tâche de l'information est loin de la simple publication sur papier glacé des événements heureux de l'entreprise ou de son carnet mondain.

Développer l'enrichissement du travail

Il faut diminuer la parcellisation du travail, trouver des solutions à la répétitivité du travail et porter remède aux inconvénients du travail à la chaîne.

Il s'agit de s'attaquer aux racines de l'aliénation de l'Homme dans son travail.

Hygiène, sécurité et pollution : luttes contre le bruit, la chaleur, la poussière, etc.

Un plan ne saurait être complet s'il ne comporte pas :
– des critères d'appréciation ;
– une méthode de contrôle.
À l'échelon des ateliers, des contrôleurs sociaux peuvent être assez faciles à instituer. Au niveau des sociétés, je pense qu'il faudrait créer un collège d'experts de très haut niveau qui aurait la responsabilité de signer annuellement un rapport social destiné à tout le personnel. Le rôle et la responsabilité du Chef d'Entreprise prennent dès lors une nouvelle dimension. Il sera soumis lui aussi à deux critères d'appréciation :
– La réalisation des objectifs économiques vis-à-vis de ses actionnaires et de l'environnement ;
– La réalisation des objectifs humains et sociaux vis-à-vis de son personnel.
Au début de mes réflexions, je vous proposais de relever le défi suivant : mettre l'industrie au service des hommes, réconcilier l'industrie et l'Homme. Bien sûr, c'est difficile, mais pas impossible. J'ai la conviction profonde que l'on peut être efficace et humain à condition, comme l'écrit le poète René Char, de « prévoir en stratège et d'agir en primitif ».

Conduisons nos entreprises autant avec le cœur qu'avec la tête, et n'oublions pas que si les ressources d'énergie de la terre ont des limites, celles de l'Homme sont infinies s'il se sent motivé.

L'écoute de l'assistance pendant le discours est exceptionnelle. Les réactions des participants sont chaleureuses, car sans être forcément d'accord avec le fond, ils sont frappés par le niveau et la qualité de la réflexion. À l'extérieur, et notamment dans les médias, l'impact est très fort. C'est de là que date l'image de patron engagé qui accompagnera désormais Antoine Riboud.

6. La mise en œuvre du discours de Marseille chez BSN

Une semaine avant de prononcer son discours, Antoine Riboud a réuni les cinquante principaux dirigeants de BSN et leur a lu son discours.

Il leur a dit : « Je n'ai pas l'intention de dire à 2 000 patrons ce qu'ils devraient faire, et ne rien faire chez BSN. Je souhaite que BSN montre l'exemple en matière sociale. Si certains d'entre vous ne sont pas d'accord, qu'ils le disent maintenant. »

En fait, Antoine Riboud ne demandait pas aux dirigeants du groupe de partager ses convictions sociales, il leur demandait de ne pas y faire obstacle. Toute sa vie professionnelle, il conservera cette attitude lucide. Il savait qu'au sein de BSN, beaucoup de dirigeants avaient d'autres valeurs que les siennes. Il considérait que cette diversité et ce frottement des idées étaient une source d'enrichissement dans la mesure où, à la fin, c'était lui qui concluait.

Pour passer du discours aux actes, Antoine Riboud fixe trois priorités qui se traduisent par trois programmes :
– l'amélioration des conditions de vie au travail dans les usines avec le programme dit ACVT ;
– les nouvelles organisations du travail ;
– la mise en place d'une planification sociale dans les sociétés du groupe BSN.

Il décide la création d'un laboratoire d'innovation sociale et recrute Gérard Mital pour le diriger qui nomme cinq chefs de projets, dont je fais partie.

Les ACVT (les améliorations des conditions de vie au travail)

En 1973 et 1974, il règne une effervescence extraordinaire au sein de BSN en raison du programme ACVT.

Les sociétés de BSN connaissent une sorte de révolution culturelle et sociale, entraînée par l'enthousiasme de la génération du baby-boom, diplômée des écoles et des universités, très présente dans les usines parmi les ingénieurs de production, les organisateurs-formateurs et les RH recrutés au début des années 1970 pour faire face à la croissance exponentielle du groupe. Plus en retrait, beaucoup de cadres de production, souvent issus du rang, sont plus réservés sur ce projet imposé par la direction et inquiets sur le nouveau rôle attendu d'eux, fondé sur l'animation plutôt que sur le commandement.

En 1973, sont lancés dix chantiers pilotes. Dans le cadre de réunions d'atelier, les salariés sont invités à s'exprimer sur les problèmes qu'ils vivent dans leur travail. Certaines actions correctives sont mises en place immédiatement, d'autres demandes, portant sur des problèmes plus lourds d'organisation, de formation ou d'ergonomie, sont traitées dans des groupes de travail ad hoc. Fin 1973, 500 personnes ont participé à des réunions ACVT. Après une année d'expérimentation, la démarche « Avec & Par » est formalisée. Elle est fondée sur le repérage des problèmes *avec* les intéressés et leur résolution *par* eux. Au centre de formation BSN de Saint-Andéol, des dizaines de séminaires ont lieu destinés à former l'encadrement des usines à l'animation des réunions d'atelier.

Un programme de déploiement est défini avec l'ambition qu'en 1980 les réunions ACVT soient généralisées partout.

Les nouvelles organisations

Sous l'impulsion de Jean-Léon Donnadieu, l'innovation en matière d'organisation faisait partie des gènes de BSN. Dans les années 1950, à l'usine de verre plat de Boussois, près de Maubeuge, qui employait à l'époque 3 000 personnes, il avait mis au point une approche de l'organisation qui remettait en cause le modèle de l'organisation scientifique du travail. L'ingénieur, au lieu d'imposer un modèle optimum d'organisation du travail, le fameux *one best way* de Taylor, formait l'encadrement et les ouvriers aux méthodes de simplification du travail, définissait avec eux les progrès de productivité et accompagnait les changements notamment par la formation. L'organisateur devenait un organisateur-formateur. Cette fonction originale fut déployée dans la plupart des usines de BSN.

Pour Jean-Léon Donnadieu, il n'y avait de changement véritable et durable que si le travail des ouvriers se transformait. La finalité des ACVT devait être l'émergence de nouvelles organisations. Dans cette perspective, il était allé rencontrer Frederick Herzberg, le théoricien de l'enrichissement des tâches aux États-Unis qui était devenu célèbre pour ses recherches sur les insatisfactions des travailleurs, publiées dans *Le Travail et la nature de l'homme* (1966). Les résultats de sa recherche montraient que l'insatisfaction résultait des conditions de travail, de la rémunération et du style de commandement, c'est-à-dire de l'environnement du travail, alors que la satisfaction ne pouvait venir que du travail lui-même. Il dénonçait des tâches trop parcellisées et une autonomie trop faible pour répondre aux besoins d'accomplissement de soi des ouvriers qui étaient devenus plus exigeants, car plus éduqués que la main-d'œuvre des usines Ford des années 1920, la référence des organisations tayloriennes.

Jean-Léon Donnadieu[1] était revenu de sa visite chez Herzberg avec un sentiment partagé :

> J'avais compris immédiatement que la théorie de l'enrichissement des tâches d'Herzberg apportait une idée nouvelle à l'action de BSN en matière d'organisation-formation et je partageais totalement sa remise en cause du taylorisme.
>
> Il y avait cependant une différence importante. Pour Herzberg, l'enrichissement des tâches est ini-

---

1. Entretien à Dax.

tié par des experts. C'était à mes yeux une sorte de néo-taylorisme. Pour moi, l'enrichissement des tâches devait être le résultat d'un processus d'auto-organisation qui associait les salariés avec comme point de départ les ACVT.

L'école scandinave, animée par les professeurs Einar Thorsrud et Fred Emery, lui paraissait plus en phase avec les conceptions de BSN. Leur approche dite sociotechnique, héritée du Tavistock Institute de Londres et des expériences qu'ils avaient menées en Suède et en Norvège, peut être résumée autour des trois idées forces suivantes :
– La cause principale de l'insatisfaction au travail est l'absence d'autonomie.
– Il n'y a pas de *one best way*, ni de bon modèle d'organisation a priori, il y a différents degrés d'auto-organisation.
– Un projet d'auto-organisation doit être défini au niveau d'un groupe de travail et pas au niveau des individus. Il doit prendre en compte plusieurs paramètres, et en priorité combiner trois facteurs : les attentes et le niveau de formation des personnes concernées, la nature des enjeux économiques et les exigences de la technologie.

Dans la foulée des ACVT, des chantiers pilotes sont lancés avec les directions d'usines volontaires dont l'objet est de tester la pertinence économique et sociale de l'auto-organisation pour BSN. Responsable de ce programme, je participe en 1974 à l'Université d'été de Flevoorde en Hollande organisée par les professeurs Thorsrud et Emery avec l'objectif de mettre au point une démarche et un séminaire socio-technique destinés aux chefs de projet des chantiers pilotes.

Les séminaires furent conçus et réalisés avec le sociologue Renaud Sainsaulieu. Je l'avais connu à l'Adssa, l'école de sociologie des organisations fondée par Michel Crozier et Jean-Daniel Reynaud. Sainsaulieu était un enseignant admirable qui marqua profondément toute une génération de sociologues praticiens. Des chantiers furent menés dans les usines de verre plat de Boussois, d'Aniche et de Wingles ainsi que dans plusieurs usines de bouteille. Les nouvelles organisations réduisaient le nombre de niveaux hiérarchiques et favorisaient l'autonomie des conducteurs de machines de fabrication des bouteilles. Entre 1975 et 1977, une quinzaine de chantiers furent réalisés, mais au cours des années suivantes la crise économique associée à l'émergence des nouvelles technologies entraîna une évolution profonde des concepts d'organisation.

La planification sociale

Au début des années 1970, McKinsey avait aidé BSN à mettre au point une démarche de planification économique qui s'appliquait aux seize sociétés filiales du groupe. Elles devaient d'abord identifier leurs axes stratégiques, puis construire leur plan à 3 ans, enfin, vers octobre, s'engager sur leur budget de l'année à venir.

Suite au discours de Marseille, il fut décidé que chaque société devrait compléter son plan économique par un plan social. Un cadre commun fut rédigé : les « Axes de la politique sociale de BSN ». Le plan social des sociétés comportait deux volets : la mise en œuvre des axes de politique sociale du groupe (incluant le déploiement des ACVT) et des actions tenant compte des enjeux sociaux propres à la société. Cette démarche restera pendant plus de vingt ans le principal levier d'animation de la politique sociale de BSN.

7. La naissance de BSN Gervais Danone (1973)

L'année 1972 est une année faste pour Antoine Riboud, deux mois après le discours de Marseille est annoncée en décembre 1972 la fusion de BSN avec Gervais Danone qui est concrétisée en 1973. Cette union est le résultat de la rencontre d'Antoine Riboud avec Daniel Carasso, fondateur de Danone en France en 1929 et de Dannon aux États-Unis en 1942. Il est le fils d'Isaac Carasso qui a créé Danone à Barcelone en 1919. La rencontre a lieu au Cedep, l'école de management créée au sein de l'Insead à l'initiative de L'Oréal avec trois partenaires fondateurs : BSN, Rhône-Poulenc et Gervais Danone.

C'est un coup de foudre entre les deux hommes. Daniel Carasso a soixante-six ans, il cherche à assurer sa succession, il détecte en Antoine Riboud l'homme capable de développer Danone dans le monde. En quelques mois la fusion est décidée. BSN-Gervais Danone devient le premier groupe français d'alimentation et de boissons.

En 1968, BSN était une entreprise moyenne sans grande réputation, employant un peu moins de 10 000 salariés. Son président, Antoine Riboud, était connu à Lyon mais à Paris, il était le frère de Jean Riboud, prestigieux président de Schlumberger, et de Marc Riboud, photographe célèbre.

Cinq ans plus tard, BSN-Gervais Danone emploie 74 000 salariés. Il est leader français de la bière, de l'eau minérale, des produits laitiers frais, des pâtes, de l'alimentation infantile, numéro 1 en France de la bouteille et numéro 2 en Europe du verre plat. Antoine Riboud est admiré pour son audace et pour sa vision sociale par la partie moderniste du patronat au même titre que François Dalle, le président de L'Oréal. Ensemble, ils ont créé le Cedep ainsi qu'Entreprise et Progrès, institut de réflexion et d'innovation qui se targue d'être l'aiguillon réformateur du patronat.

1974, six mois après le mariage de BSN et Gervais Danone, la crise pétrolière remet brutalement en cause l'environnement économique et social. « Les Trente Glorieuses sont finies. » Des mots oubliés réapparaissent : productivité, licenciements économiques, chômage. Pour le double projet, c'est l'heure de vérité.

2

Le double projet à l'épreuve
de la crise économique (1974-1979)

Le choc pétrolier a lieu fin 1973, mais la crise atteint véritablement la France à partir de 1975, masquée un temps par la politique de relance du Premier ministre Jacques Chirac. En septembre 1976, Raymond Barre, le nouveau Premier ministre, décrète le blocage des salaires et des prix après l'échec du plan de relance. C'est un arrêt brutal de la politique contractuelle.

BSN est fortement touché par la crise. Entre 1974 et 1978, Antoine Riboud connaît la période la plus difficile de sa vie professionnelle. La restructuration du verre plat est un chantier énorme et un test crucial pour la crédibilité voire l'existence du double projet. La question est posée : comment peut-on avoir un projet social ambitieux alors que des milliers de salariés sont licenciés ? Comment gérer les contradictions entre logiques économiques et sociales, quand elles sont aussi fortes ? La réponse de BSN, innovante à l'époque, sera de conduire les restructurations et de les associer à des mesures d'accompagnement pour les salariés et les collectivités concernées.

1. Le choc des restructurations

Au cours des années 1950 et 1960, la croissance générait l'emploi et la productivité. Les licenciements économiques avaient quasiment disparu à l'exception du secteur des charbonnages. La crise des années 1970 constitue un tournant. Face à une croissance ralentie, la productivité devient synonyme de restructurations et de licenciements collectifs.

BSN est fortement concerné par cette évolution.

La crise frappe le groupe en pleine phase d'intégration des acquisitions qui, depuis 1970, s'étaient poursuivies à un rythme accéléré. Elle affecte de manière très différente les sociétés du groupe. D'un côté, les sociétés bien armées qui passeront la crise sans dommage et sans restructuration : Kronenbourg, Blédina, Evian et, dans une moindre mesure, Gervais Danone qui devra cependant reconvertir un millier de chauffeurs-livreurs avec la montée en puissance de la grande distribution au cours des années 1970.

À l'autre extrême, des sociétés qui doivent se restructurer en profondeur pour éviter de disparaître : les sociétés de verre plat en Allemagne (Flachglas), au Benelux (Glaverbel) et en France (Boussois) ainsi que l'Européenne de Brasserie ou encore la société de gobeleterie (vaisselle de verre à la marque Vereco).

La restructuration du verre plat

La crise pétrolière crée une récession brutale sur les deux marchés du verre plat : le bâtiment et l'automobile. Cette chute des marchés provoque l'accélération de la substitution du verre à vitre par le float-glass. En 1971, BSN avait conduit une stratégie alternative à la fusion avec Saint-Gobain en achetant Glaverbel en Belgique et Flachglas en Allemagne. Ces sociétés avaient pris du retard pour introduire le float par rapport à leurs deux principaux concurrents Saint-Gobain et Pilkington, l'inventeur du procédé. Pour survivre, la branche verre plat doit conduire une mutation radicale fondée sur la fermeture des fours de verre à vitre devenus obsolètes et leur remplacement par des floats.

En Allemagne, cette substitution est négociée avec les syndicats dans le cadre de la cogestion. Neuf fours de verre à vitre sont remplacés par trois floats et l'effectif réduit de moitié entre 1974 et 1978 sans conflit. En Belgique et en France, la situation est tout autre. Les syndicats cherchent à bloquer les restructurations et à retarder les échéances. L'annonce de la fermeture du four de Gilly en 1975 à côté de Charleroi déclenche une grève illimitée et le débarquement à Paris d'un millier de salariés de Glaverbel qui envahissent le siège social de BSN à Levallois.

Face à la crise qui s'aggrave en Belgique et en France, Antoine Riboud met en place une équipe composée des meilleurs professionnels pour sauver le verre plat, sachant qu'un échec menacerait l'existence même de BSN. Deux nouveaux directeurs généraux sont nommés : Philippe Lenain chez Boussois et Jean-Marie Descarpentries chez Glaverbel.

Le chef d'orchestre est Georges Lecallier, ex-patron de la division épicerie, nommé directeur général de la branche verre plat qui gagnera là ses galons de futur vice-président directeur général de BSN.

Entre 1974 et 1978, vingt-deux fours de verre à vitre sont fermés et cinq floats construits. Les effectifs sont réduits de près d'un tiers soit 12 000 personnes sur un total de 32 000 en 1974. 2,5 milliards de francs sont investis. Sur la période, la branche verre plat perd 700 millions de francs. En 1975, l'année noire, BSN est en perte, la seule qu'ait connue le groupe de son histoire. Cette même année, face à la pression syndicale, un accord est conclu le 27 mai avec les syndicats de cinq pays (Allemagne, Autriche, Belgique, France et Hollande) qui garantit l'équité entre les pays en matière d'investissement et d'emploi. Cet accord transfrontalier fixait des « règles du jeu » qui apportèrent plus de sérénité au dialogue social. Il s'agissait d'une véritable première en matière de dialogue social européen.

En 1979, cet immense effort de restructuration a sauvé le verre plat qui a retrouvé sa santé économique fondée sur un outil industriel performant. Antoine Riboud juge que le groupe doit concentrer ses ambitions. Il décide la cession du verre plat. Les sociétés modernisées et consolidées sont vendues dans d'excellentes conditions financières. En 1979, Flachglas est cédé à Pilkington, en 1980 Glaverbel l'est au japonais Asahi et la même année Boussois à l'américain Pittsburgh Plate Glass.

Ainsi s'achève un chapitre important de l'histoire industrielle de BSN. Le groupe recentré sur l'alimentation et le verre d'emballage était prêt pour lancer une nouvelle étape de son développement.

La restructuration de l'Européenne de Brasserie

Simultanément à la mutation du verre plat, BSN doit gérer la restructuration de l'Européenne de Brasserie.

Rachetée en 1970, cette société est leader du marché français de la bière avec 30 %, devant Kronenbourg acquis au même moment par BSN qui en a 20 %.

L'activité repose sur la bière de table avec les marques Valstar et Dumesnil vendues dans des bouteilles consignées d'un litre et produites dans vingt-neuf petites brasseries employant en moyenne une centaine de personnes. Francis Gautier, le nouveau patron de l'activité boissons, recruté en 1971 par Antoine Riboud alors qu'il était patron de Colgate Palmolive, fait rapidement le diagnostic. La bière de table en litre consigné est condamnée à l'échéance d'une dizaine d'années. Pour sauver l'entreprise, il faut repositionner son activité sur les petites bouteilles en verre perdu de 25 cl comme l'a fait très bien Kronenbourg. Il lance en 1972 une nouvelle marque : Kanterbräu. C'est un grand succès mais le plus difficile reste à faire : construire un outil industriel performant, c'est-à-dire fermer les petites brasseries obsolètes qui produisent les bouteilles d'un litre consignées et concentrer sur la brasserie de Champigneulles, à côté de Nancy, l'investissement pour la production de bouteilles en verre perdu.

Entre 1973 et 1982, 24 brasseries seront fermées et 3 000 emplois supprimés.

2. La nouvelle politique de l'emploi

En 1976, Antoine Riboud est l'invité de Jean-Louis Servan-Schreiber dans son émission *Questionnaire pour demain* sur TF1. Il est évidemment interrogé sur la contradiction entre le discours de Marseille et les licenciements menés par BSN.

> Nous ne pouvons pas conserver des emplois dans des industries où le produit est obsolète. On ne peut pas conserver des usines de verre à vitre, on ne peut pas conserver le même nombre d'emplois s'il y a une réduction de 20, 30, 40 % d'un marché. Par contre, confrontée à ces problèmes d'emploi, une entreprise comme la nôtre cherche à trouver un nouvel emploi à tous ceux qui le perdent. Aujourd'hui, nous atteignons 80 %

de reclassement. Dans certains cas, nous avons investi pour créer des emplois. Par conséquent, je ne trouve pas qu'il y ait un écart entre mon langage de 1972 dans un contexte de croissance et mon langage d'aujourd'hui dans un contexte de crise.

BSN va apprendre à gérer les restructurations et sera une entreprise pionnière en matière de reclassement des salariés et de reconstitution des emplois dans les bassins d'activités concernés.

C'est le cas lorsque le four à verre à vitre de Wingles est arrêté affectant huit cents personnes. La construction d'un four à bouteilles est décidée pour reclasser une partie du personnel. La première production sortira de ce four un an plus tard. Trois cent cinquante ouvriers reçoivent pour cela une formation intense pour les préparer à leur nouveau métier.

En 1976, BSN annonce le plan de restructuration touchant trois cent cinquante salariés de l'usine de gobeleterie à Rive-de-Gier (Loire) qui fabrique la vaisselle en verre Vereco. Il s'agit d'arrêter l'un des trois fours et de réduire d'un tiers l'effectif de plus de mille personnes. Pour favoriser la reconstitution des emplois, l'entreprise contribue à l'aménagement d'une zone industrielle et conclut des accords avec trois entreprises qui acceptent de s'installer à Rive-de-Gier moyennant une aide financière de plus de dix millions de francs sous la forme de prêts à des conditions favorables financées par BSN.

À la suite de cette expérience, une structure spécialisée dans les reclassements est créée en 1977 : le REAN (Recherche d'Emplois et d'Activités Nouvelles). Désormais, la politique du groupe en matière d'accompagnement des restructurations s'ordonnera autour de deux grands axes, le premier consistant à favoriser le reclassement des salariés en sureffectif, le second visant à créer des emplois pour compenser, par l'implantation d'activités nouvelles, les pertes d'emplois subies par les territoires concernés. Elle sera systématiquement mise en œuvre en France, mais aussi étendue au fur et à mesure du développement du groupe en Europe et dans le monde, constituant dans la plupart des cas une véritable pratique innovante dans les pays.

Cette démarche originale d'accompagnement social avait été employée pour la reconversion des houillères. Elle fut remise à l'ordre du jour par Rhône-Poulenc et BSN au milieu des années 1970 et sera adoptée progressivement par la plupart des groupes industriels français.

Le directeur du REAN allait voir le maire d'une ville où une usine allait fermer et lui tenait en gros ce langage :

« Nous allons fermer l'usine mais nous nous engageons à reclasser au minimum 90 % des salariés et à recréer autant d'emplois. Voilà nos références, parlez directement à vos collègues maires qui ont connu la même situation, ils vous diront que nous tenons nos engagements. »

Il n'y a pas d'exemple où la fermeture d'usine n'ait pas été un traumatisme pour le personnel et pour les collectivités locales concernés.

Néanmoins, cette double approche reclassement des salariés et reconstitution d'activité a permis à BSN d'atténuer les chocs et de gérer ses restructurations sans conflit significatif pendant vingt-cinq ans jusqu'à la réorganisation industrielle de LU en 2001.

3. Tensions au sommet de BSN

Au cours des années 1977 et 1978, la politique sociale crée de fortes tensions au sein de la direction générale du groupe dans le contexte des résultats catastrophiques du verre plat.

Philippe Daublain, vice-président du groupe, président du patronat chrétien, était un soutien indéfectible de Jean-Léon Donnadieu dont il partageait les valeurs humanistes, la culture d'ingénieur et l'expérience de longues années en usine.

La nouvelle génération de dirigeants recrutés par son successeur Francis Gautier, le nouveau vice-président, venait de chez Procter ou de Colgate. Leur culture était celle des entreprises de grande consommation américaines. Ce qui les faisait lever le matin, c'étaient les consommateurs et les parts de marché. Sur le social, leur approche était pragmatique : pourquoi pas mais quel est l'intérêt business ? Ils avaient globalement la perception d'une contradiction entre l'exigence d'efficacité et la politique sociale impulsée par le groupe.

Ils ne comprenaient pas que dans le contexte de la crise économique, le groupe continue à consacrer beaucoup de ressources aux ACVT. Ils doutaient de la capacité des services organisation-formation à améliorer la productivité et ne pensaient pas que l'auto-organisation était la réponse. Sur la défensive, Jean-Léon Donnadieu n'avait pas réussi à s'opposer au recrutement du cabinet d'organisation américain Proudfoot. Ces spécialistes de la productivité allaient dans les usines pour détecter les tâches inutiles à supprimer ou à mécaniser avec des méthodes directives qui étaient le contraire de l'auto-organisation. Leur intervention s'arrêta à la suite d'une grève de trois semaines à l'usine Danone de Pierre Bénite provoquée par des méthodes à « l'américaine » dénoncées par les syndicats.

Antoine Riboud tenait au double projet mais il était critique sur le manque d'efficacité des services organisation-formation en matière d'amélioration de la productivité. Il comprenait la position des opérationnels mais il refusait que la crise soit instrumentalisée pour mettre au rebut le double projet, le dialogue social et l'expression des salariés.

Il soutenait Donnadieu face aux opérationnels et simultanément exerçait sur lui une forte pression pour que la politique sociale contribue mieux à la performance économique.

Le programme ACVT fut la victime de ces tensions. Dès 1976, il montre des signes d'essoufflement. La crise économique l'explique en partie mais elle révèle aussi des faiblesses plus profondes mises en évidence lors des évaluations, notamment :

– la faible appropriation du programme par les opérationnels en charge de l'appliquer. Ainsi, lorsqu'il fut décidé en 1977 que le programme ne serait plus piloté par le groupe mais par la direction de chaque société, force fut de constater que le relais était peu repris dans les sociétés ;

– la méfiance voire l'opposition des syndicats face à l'expression des salariés, car ils craignaient d'être court-circuités par cette démarche nouvelle qui n'avait pas fait l'objet d'une négociation.

Il existait aussi des signes encourageants.

Dans les usines où la hiérarchie s'était fortement impliquée, les ACVT avaient permis de nouer entre la maîtrise et le personnel un dialogue portant sur la vie quotidienne de l'atelier. La démarche créait un nouveau climat de travail qui permettait simultanément d'améliorer les performances économiques et les conditions de travail. Lorsque cette dynamique positive existait, il n'y avait pas de blocage des syndicats.

Le principal enseignement était les limites d'un changement décrété par le haut s'il n'est pas relayé fortement par les acteurs sur le terrain.

Après 1977, les ACVT ont continué d'exister dans une dizaine d'établissements. On était loin de l'objectif affiché en 1974 qui voulait que l'ensemble du personnel soit concerné en 1980.

4. Les 5 Axes socio-économiques (1978)

Dans ce contexte de pression continue et de remise en cause, Jean-Léon Donnadieu se doit de réagir. Il constitue un groupe de travail dont l'objectif est de formuler une politique sociale de BSN qui intègre mieux la performance économique. Il était clair que l'objectif exprimé dans les axes de 1974, « l'épanouissement des hommes et l'amélioration des conditions de travail », était, quatre ans plus tard, en fort décalage avec la réalité et les enjeux du groupe.

Un moment important fut le séminaire qui eut lieu à Fontainebleau en 1978 dans les locaux du Cedep. En plus du groupe de travail, avait été invité José Bidegain qui venait d'arriver chez BSN comme patron de l'activité flaconnage après avoir été l'influent délégué général d'Entreprise et Progrès. Dans mon souvenir, c'est lui qui, pour la première fois, formula au cours de ce séminaire l'idée de projets socio-économiques « gagnant-gagnant », qui reste encore aujourd'hui un élément clé de l'ADN de Danone.

L'idée forte qui en est ressortie est la suivante : le double projet dans l'esprit du discours de Marseille et sa mise en œuvre chez BSN étaient la juxtaposition de deux projets. Au projet orienté vers la performance économique était ajouté un projet social orienté vers les salariés incarné notamment par les ACVT.

Le nouveau double projet doit être socio-économique. C'est-à-dire formuler des réponses qui intègrent simultanément l'efficacité économique et les aspirations des salariés dans une logique gagnant-gagnant.

En conséquence, les projets économiques doivent intégrer une dimension sociale. Par exemple, tout projet de réorganisation doit inclure un volet formation, conditions de travail et emploi. De la même manière, les projets sociaux doivent contribuer à l'efficacité économique, ainsi l'expression des salariés sera non seulement centrée sur les conditions de travail mais aussi sur l'efficacité économique.

Dans cet esprit, est rédigée la nouvelle version de la politique sociale du groupe « les 5 Axes », qui sera la référence des sociétés de BSN pendant une dizaine d'années.

Le préambule des 5 Axes daté d'octobre 1978 souligne la transformation de l'environnement par rapport à la première version des axes rédigée en 1974.

> Depuis 1974, la crise économique a fait évoluer l'environnement économique et social de l'entreprise ; et donc les problèmes auxquels elle est confrontée. L'entreprise doit, plus que jamais, satisfaire à des impératifs économiques et de rentabilité. Face à cette nécessité, l'ensemble du personnel, à commencer par l'encadrement, est appelé à jouer un rôle prépondérant.

Dans ce contexte, la politique du groupe consiste à traiter tout problème en intégrant dans la recherche et la mise en œuvre des solutions les objectifs économiques et les attentes des hommes.

Le développement du double projet d'efficacité économique et d'épanouissement des hommes reste donc le cadre général des orientations politiques du groupe.

Sont ensuite définis 5 Axes. Les deux premiers surtout soulignent le passage d'un discours social à un discours socio-économique.

Axe 1

Adapter le niveau des effectifs aux besoins, réduire l'insécurité de l'emploi et minimiser les conséquences négatives des réductions d'effectifs.

Le système concurrentiel dans lequel nous vivons nécessite de rechercher un niveau plus élevé de productivité, et par conséquent de ne pas créer ou conserver les emplois qui ne sont pas réellement nécessaires.

Or, la sécurité de l'emploi est la préoccupation majeure du personnel. Aussi, la politique du groupe est-elle :

– de rechercher toutes les solutions qui permettront de réduire cette insécurité ;

– de minimiser les conséquences sociales résultant de la suppression des emplois excédentaires.

Axe 2

Développer des politiques salariales incitatives, cohérentes avec la situation économique et l'environnement des sociétés.

La diversité des activités du groupe se traduit par l'existence de contraintes économiques différentes suivant les sociétés.

C'est pourquoi les politiques salariales et de statuts resteront diversifiées selon les sociétés à l'intérieur d'orientations générales communes.

Cependant, toutes les sociétés devront chercher dans la définition et l'application de leurs politiques salariales la motivation du personnel, en particulier par un lien plus direct entre la performance collective et la rémunération et donc par la mise en application de formules d'intéressement.

Axe 3

Développer le potentiel et la contribution de l'encadrement et de tout le personnel conformément à ses aspirations et aux besoins de l'entreprise.

Axe 4

Améliorer simultanément les conditions de travail et l'efficacité économique avec la participation du personnel.

Axe 5

Améliorer ou maintenir la qualité des relations entre la direction (et la hiérarchie) et les représentants du personnel et les syndicats.

La diffusion du document « 5 Axes » est accompagnée d'une longue note d'Antoine Riboud destinée aux dirigeants, intitulée *Réflexions sociales pour les objectifs préliminaires* et datée de novembre 1978.

> L'analyse de la situation sociale m'a conduit à un certain nombre de réflexions que je veux vous faire partager car je les crois importantes.
> Nous avons pu réaliser des opérations de restructuration nécessitant des suppressions d'emplois importantes... Dans tous les cas, quelle que soit la difficulté, nous n'avions pas le choix car nos responsabilités nous obligent à adapter nos installations industrielles aux exigences de la technique et des marchés. Le métier d'industriel ou d'entrepreneur oblige à GÉRER, si l'on transige, on se contente de RÉGNER. Nous savons où cela peut conduire à une échéance plus ou moins brève...
> En économie concurrentielle, l'entreprise ne peut pas assumer la responsabilité de l'emploi. Vouloir maintenir des frontières ouvertes à la circulation

des produits industriels et refuser la modernisation de l'industrie pour éviter le chômage est une simple rêverie…

Le problème que doit se poser la direction générale de BSN et de ses départements est de savoir si nous devons nous contenter de satisfaire exclusivement cette responsabilité économique ?

J'ai un peu l'impression que, suivant les cas, la dureté des temps, un certain marasme économique, l'éloignement d'échéance politique font que nous devenons inconsciemment étrangers aux préoccupations des différentes catégories sociales ; nous n'entendons plus l'appel incessant de la société qui continue à vouloir se transformer. J'ai même l'impression que la victoire miraculeuse de mars 1978, obtenue en grande partie grâce à la rupture des partenaires du Programme commun de la gauche, nous a installés dans une fausse sécurité. Cette impression repose sur une série de constatations récentes…

Je citerai trois exemples :

– J'ai eu connaissance des récentes propositions du CNPF aux syndicats sur l'aménagement et la réduction du temps de travail. C'est un monument de conservatisme, un retour en arrière de vingt ans qui, s'il n'est pas amendé, va détruire tous les espoirs de concertation lentement amorcée par la CFDT.

– Je constate que toutes les propositions de M. Stoléru ayant pour objectif d'améliorer la situation des travailleurs manuels sont, dans les instances patronales, presque toujours ridiculisées et combattues avec acharnement...

– Enfin, même le récent projet du président de la République sur l'actionnariat ouvrier est combattu.

J'ai la conviction profonde que les changements dus à une crise aussi profonde que celle que nous traversons ne peuvent se réaliser en écartant ou en refusant la négociation à tous les niveaux avec nos partenaires sociaux.

La notion de double projet « économique et social » prend une valeur encore plus grande et impérative dans le contexte actuel. Nous savons que nos profits ne nous permettent pas de satisfaire les revendications d'AVOIR. Nous devons donc apporter des solutions concrètes aux revendications d'« ÊTRE et de POUVOIR ».

Pour assumer nos responsabilités en la matière, je demande qu'au cours de la préparation des objectifs préliminaires, les départements élaborent une politique sociale originale.

Je porterai une attention particulière à ces différents projets lors des réunions objectifs préliminaires de 1979.

La réunion des objectifs préliminaires était le moment le plus important de l'année pour les équipes de direction des sociétés, le jour où elles présentaient leur stratégie. En choisissant ce cadre pour affirmer que « le double projet prend une valeur encore plus grande dans le contexte actuel », Antoine Riboud mettait fin aux débats internes qui avaient caractérisé les années 1977 et 1978.

5. Pourquoi nous combattons (1979)

En octobre 1979, nous nous retrouvons une vingtaine à Gif-sur-Yvette dans un centre de formation du CESI invités par Jean-Léon Donnadieu pour une réunion mystérieuse sans ordre du jour.

J.-L. Donnadieu commence : « Pendant la guerre, les services de la propagande américaine avaient mis en place des programmes *Pourquoi nous combattons* car ils avaient compris que des soldats qui s'appuient sur des convictions sont de bien meilleurs combattants. » C'était le Donnadieu de la Résistance et des services de renseignements en Indochine, l'homme des réseaux, qui s'exprimait.

Il commente ainsi ce séminaire dans ses mémoires[1] :

> Au terme de ce récit, je pense à cette réunion de
> deux jours, presque clandestine où j'avais invité des
> cadres de mon service. Je leur avais dit : « Notre
> mission est difficile, ingrate. Nous ne pouvons l'as-
> sumer que si notre travail est fondé sur un projet
> qui nous est commun, qui justifie notre volonté et
> notre cohérence, malgré nos différences, et donne
> un sens à nos efforts. Je vous ai réunis pour que
> nous cherchions la réponse à cette question : pour-
> quoi combattons-nous ensemble ?
> Après deux journées d'échanges et de discus-
> sions, où nul n'a fait état de ses opinions, de
> ses croyances, nous avons dégagé ensemble, avec
> l'adhésion de tous, ce que nous avons appelé notre
> système de valeur. C'est un document de quelques
> pages, appliqué à nos préoccupations profession-
> nelles, qui n'a été diffusé qu'aux participants et à
> Antoine Riboud. Ce texte débute par deux simples
> phrases qui le résument tout entier : « L'homme
> est la finalité du monde où nous vivons. Rien
> de ce qui nous entoure n'a de raison d'être sans
> l'homme. L'homme est capable d'effort, de cou-
> rage, d'intelligence, d'initiative. Il est susceptible

1. Jean-Léon Donnadieu, *D'hommes à hommes*, L'Harmattan – 2000.

de s'améliorer. Cette vue implique des responsabilités pour ceux qui ont en charge le personnel de l'entreprise. »

La portée pratique de cette réunion a été faible mais elle a durablement marqué l'esprit des participants. Il posait la question du social en temps de crise et du rôle des convictions personnelles dans les décisions.

Quand les vents contraires soufflent, l'utilitarisme gagnant-gagnant montre ses limites. L'intérêt économique de continuer d'investir dans la formation ou les conditions de travail est plus difficile à démontrer à des dirigeants qui n'ont pas la fibre sociale. Dans un tel contexte, les valeurs et les convictions peuvent faire la différence. Jean-Léon Donnadieu, dans ces années difficiles, a eu le courage de ramer à contre-courant face à une opposition parfois frontale avec certains dirigeants du groupe. La crise avait porté le choc des logiques contraires à un niveau de tension extrême mais en tenant bon sur les principes, BSN avait préservé ses capacités d'initiative sociale, comme le démontrera dès 1979 la négociation sur la 5ᵉ équipe.

Des années plus tard, je provoquais Donnadieu en lui disant : « Reconnaissez que, par rapport à l'ambition et aux moyens engagés, les ACVT ont plutôt été un échec. » Il me répondait, fidèle à sa culture chrétienne : « Si le grain de blé jeté en terre ne meurt pas, il ne donne rien ; mais s'il meurt, il donne du blé en abondance. »

L'image était juste. L'auto-organisation comme les ACVT ne se relevèrent pas de leurs deux péchés originaux, une problématique trop exclusivement sociale et des changements décrétés par le haut et non négociés. Ils eurent néanmoins une postérité : le management participatif pour les ACVT et les organisations qualifiantes négociées pour l'auto-organisation. Ils furent chez BSN une étape majeure de l'apprentissage des chantiers de modernisation des années 1980 au même titre que l'OPA sur Saint-Gobain ou Lip furent pour Antoine Riboud des échecs fondateurs de futures réalisations.

3

Face au patronat, avec la 2ᵉ gauche
(1973-1983)

Les années 1970 sont caractérisées par une tension forte entre le patronat et les syndicats dits « révolutionnaires », la CGT et la CFDT pressée par la mouvance gauchiste qui pratique la surenchère face aux syndicats sans aller jusqu'au terrorisme comme les Brigades rouges en Italie ou Fraction armée rouge en Allemagne.

Le principal terrain d'affrontement est la lutte pour le pouvoir dans les grandes usines. Mai 68 avait bouleversé la relation d'autorité, beaucoup d'usines étaient devenues un champ conflictuel opposant la hiérarchie et les syndicats. Un symbole de cette période est la figure de Pierre Overney, militant maoïste de la gauche prolétarienne, mouvement antihiérarchique inspiré par la révolution culturelle chinoise. Après avoir été licencié de Renault, il est tué à la sortie de l'usine de Billancourt par un agent de sécurité de l'entreprise le 25 février 1972. Le jour de ses obsèques, une manifestation rassemble 200 000 personnes avec en tête du cortège Jean-Paul Sartre et Michel Foucault.

Le soutien de la CGT et de la CFDT au programme commun de la gauche signé en juin 1972 tend un peu plus les relations avec le patronat.

En juillet 1972, le Premier ministre Chaban-Delmas est révoqué par le président Pompidou. Il est remplacé par Pierre Messmer encadré à l'Élysée par le tandem Juillet-Garaud tenant d'un retour à l'autorité. La situation sociale se dégrade. La politique contractuelle, symbole de la période Chaban, est remise en cause. À partir de 1973, Jacques Delors parle dans ses mémoires d'un « retour vers un climat de guerre civile ». C'est dans ce contexte que, fin 1973, Antoine Riboud s'engage dans Lip, noue des relations de confiance avec la CFDT, conclut l'accord sur la 5e équipe, renforçant la légitimité des syndicats contre la partie du patronat qui préconise leur affaiblissement. Ses idées sociales sont jugées dangereuses par les conservateurs du patronat, très influents au CNPF, représentés par des patrons puissants tel Ambroise Roux, président de la Compagnie Générale d'Électricité. Ces patrons n'aimaient déjà pas l'homme de l'OPA contre Saint-Gobain et du discours de Marseille, au cours des années, le fossé ne fera que s'élargir avec l'affaire Lip, et surtout, après 1981, la trahison que représentaient à leurs yeux les relations cordiales d'Antoine Riboud avec les socialistes au pouvoir.

1. L'affaire Lip (1973)

Lip, à Besançon, était la principale entreprise d'horlogerie en France. L'affaire Lip commence le 17 avril 1973, lorsque, confronté à la situation financière catastrophique de la société, le PDG, Jacques Saint-Esprit, démissionne. Devant le vide ainsi créé, le tribunal de commerce de Besançon nomme deux administrateurs provisoires. Unis derrière un syndicat CFDT puissant et combatif et son leader charismatique Charles Piaget, les 1 280 salariés de l'entreprise ne l'entendent pas de cette oreille.

Le 12 juin, les deux administrateurs provisoires et cinq directeurs sont séquestrés. Le lendemain, le travail cesse et un « trésor de guerre » constitué de

25 000 montres est mis en lieu sûr. Le 14, l'usine est occupée. Des ventes « sauvages » d'horlogerie seront organisées un peu partout en France.

Le risque de contagion sociale oblige le gouvernement à intervenir. Le 12 octobre, les salariés de Lip repoussent à une large majorité le plan Giraud, expert désigné par le gouvernement. Le lendemain, le Premier ministre, Pierre Messmer, déclare : « Lip, c'est fini. »

C'est alors que deux grands patrons français entreprennent de rechercher une nouvelle solution. Il s'agit d'Antoine Riboud et de son ami Renaud Gillet, PDG de Rhône-Poulenc, qui a accepté de le suivre. Le 20 novembre, rejoints par quelques autres, ils soumettent à l'Élysée un plan de relance des activités horlogerie et armement élaboré par des spécialistes.

Antoine Riboud témoigne[1] :

> Je savais, dès le départ, que ce serait très difficile. Ce fut un échec. À la même époque, il y avait d'autres conflits retentissants, Noguères chez Pechiney, Le Joint Français à Saint-Brieuc. Renaud Gillet, qui venait de prendre la présidence de Rhône-Poulenc, craignait que cette affaire ne touche l'importante usine Rhodiaceta de Besançon

---

1. Antoine Riboud, *Le Dernier de la classe, op. cit.*

où des préavis de grève de solidarité avaient été déposés. C'est le philosophe Roger Garaudy qui provoqua mon intérêt pour Lip. J'ai eu un long entretien avec Jacques Chérèque, secrétaire de la fédération CFDT de la métallurgie. J'ai ensuite rencontré le leader CFDT de Lip, Charles Piaget. Selon eux, Lip était viable. Il y manquait une direction compétente et des capitaux suffisants. J'ai cru alors que Lip pouvait être économiquement sauvé. J'ai décidé d'aider à la recherche d'une solution. Les problèmes les plus urgents étaient de trouver un patron et des capitaux. Les seuls concours que nous ayons obtenus, Renaud Gillet et moi, sont ceux de mon frère Jean, PDG de Schlumberger, et de Jacques de Fouchier, PDG de Paribas.

Le ministre de l'Industrie Jean Charbonnel s'engage à accorder à Lip une subvention pour son redémarrage et charge Claude Neuschwander, directeur international de Publicis, d'une mission d'étude sur la relance de l'entreprise. De son côté, Jacques Chérèque, le secrétaire général de la fédération de la métallurgie CFDT, convainc Charles Piaget de la nécessité d'un compromis. José Bidegain, délégué général de l'association Entreprise et Progrès, et Claude Peyrot, conseiller d'Antoine Riboud, entament avec les syndicats à Dole les négociations sur le volet social.

Ils réussissent à faire adopter un protocole d'accord contenant l'engagement de la CFDT sur un point essentiel : l'emploi serait ajusté aux besoins de la production.

À la suite de cet accord, les syndicalistes de Lip rendirent le stock de montres qu'ils avaient enlevé.

Albert Mercier, l'adjoint de Jacques Chérèque à la fédération CFDT de la métallurgie, vint en voiture apporter l'argent, soigneusement rangé dans de vieilles boîtes de camembert.

Lip se remit en marche, progressivement. Le 31 décembre 1974, les Lip sont rembauchés, des nouveaux modèles de montres sont lancés au design audacieux. Mais les espoirs du démarrage seront vite déçus. Claude Neuschwander poursuit une politique de développement ambitieuse alors que les effets de la crise économique se font sentir. Les comptes virent au rouge vif et le 8 février 1976, le conseil d'administration exige la démission de Claude Neuschwander.

Une ultime tentative est menée mais la situation de trésorerie est trop dégradée et en avril 1976, Lip dépose une deuxième fois son bilan.

Lip a passionné Antoine Riboud mais l'échec final lui avait laissé un souvenir amer[1] :

---

1. Antoine Riboud, *Le Dernier de la classe, op. cit.*

Pourquoi donc me suis-je lancé dans ce combat ? La raison principale est que ce conflit m'apparaissait comme un échec de l'économie de marché et je l'analysais comme un manque de clairvoyance des dirigeants dans la gestion de leur entreprise.

Dans le fil du discours de Marseille, je voulais montrer que les patrons n'étaient pas tous des affreux personnages avides de profit mais qu'ils pouvaient aussi faire preuve de civisme, montrer le sens de la responsabilité sociale et résoudre les problèmes de leur ressort.

Nous avons voulu que les patrons se manifestent en un lieu où le patronat avait cessé d'exister.

Aujourd'hui, je persiste à penser qu'une gestion plus rigoureuse, plus réaliste aurait permis de réussir ce pari difficile qu'était le sauvetage de Lip.

2. Les rendez-vous d'Assas

Une conséquence inattendue de l'affaire Lip fut les relations de confiance nouées par Antoine Riboud avec la CFDT. Il souhaite les poursuivre en organisant chez lui, rue d'Assas, des réunions informelles avec des syndicalistes et des patrons qui se poursuivront tout au long des années 1970, 1980[1] et au-delà :

> J'ai organisé chez moi des réunions informelles de syndicalistes et de patrons, pour discuter, échanger des idées, tester des projets.
>
> Les plus assidus étaient Albert Mercier et Jacques Chérèque, souvent accompagnés de Jean Kaspar et de Nicole Notat.
>
> Les patrons assez régulièrement présents étaient Renaud Gillet (Rhône-Poulenc), Jean Gandois (Pechiney), Roger Fauroux (Saint-Gobain), Jérôme Monod (Lyonnaise des eaux), Olivier Lecerf (Lafarge) et Denis Defforey (Carrefour).
>
> Nous échangions nos points de vue sur les nombreux problèmes soulevés dans la gestion sociale des entreprises, particulièrement le temps de travail, l'intéressement.
>
> Nous avons exploré à fond le problème de la réduction de l'horaire du personnel posté en continu, qui méritait une attention particulière.

Ces discussions auront une influence significative sur la position des partenaires sociaux sur des thèmes tels que l'intéressement, les lois Auroux

---

1. *Ibid.*

sur l'expression des salariés, ou la modernisation négociée.

3. La bataille pour le pouvoir dans les usines

Les années 1970 sont une période de polarisation idéologique. Si quelques patrons engagent le dialogue avec la 2ᵉ gauche et la CFDT, de nombreux autres sont dans une attitude exactement opposée. Il faut affaiblir par tous les moyens les syndicats dits révolutionnaires : la CGT mais aussi la CFDT qui n'a pas encore amorcé son recentrage.

Leur obsession, c'est la reconquête du pouvoir perdu en mai 68. Dans beaucoup d'usines, notamment dans les plus grandes, la CGT et la CFDT avaient créé des « forteresses ouvrières », les syndicats étaient devenus les véritables patrons sur le terrain face à une maîtrise mal aimée, mal soutenue et désemparée. Avec la crise et les premières restructurations, les salariés sont moins favorables à s'engager dans des grèves dures. S'installe alors dans beaucoup d'entreprises ce que Christian Morel a intitulé la grève froide.[1] À la place des grandes grèves qui ne

---

1. Christian Morel, *La Grève froide*, Éditions d'organisation – 1981.

mobilisent plus autant, se met en place une stratégie de conflit permanent, située entre la grève et
la paix fondée sur le harcèlement verbal, les manifestations, la guérilla juridique, le freinage, les grèves
perlées voire les séquestrations des représentants des
patrons. L'objectif est d'obtenir par cette pression
revendicative ce que le sociologue américain Alvin
W. Gouldner a appelé un système indulgent[1].

Les principales caractéristiques sont le grignotage
de la durée du travail (allongement des temps de
pause et pauses non réglementaires, absences auto-
risées, sortie plus tôt le vendredi, refus des heures
supplémentaires) et l'affaiblissement des contrôles
(abandon du chronométrage, suppression du poin-
tage, augmentations individuelles égales pour tous).
Le système indulgent conduit inévitablement à une
dégradation de la compétitivité dont l'industrie
anglaise des années 1970 était l'exemple repoussoir
pour les chefs d'entreprise français.

Dans beaucoup de grandes entreprises industrielles
françaises, y compris BSN, la rigidité, l'absentéisme,
le pouvoir des syndicats étaient devenus un enjeu
majeur. François Destailleur, directeur des relations
sociales de BSN, était le quasi alter ego de Jean-
Léon Donnadieu. Il était entré après la guerre chez

---

1. Alvin W. Gouldner, *Wildcat Strike* – 1955.

Souchon-Neuvesel avec Antoine Riboud, un ami de jeunesse, qui lui faisait une confiance absolue. Il n'avait pas seulement le physique d'un moine, il en avait aussi la personnalité, caractérisée par une intégrité et un désintéressement qui suscitaient le respect de tous y compris de ses interlocuteurs syndicaux. Il fut mon premier patron. Un jour d'été 1973, il me demanda de déjeuner avec lui. D'habitude silencieux et réservé, je le voyais loquace et fébrile. « Je viens de rencontrer un personnage. Il s'appelle Louis Galtier. Il m'a dit qu'en trois ans, il garantissait à BSN le renversement de la majorité syndicale à l'usine de Boussois. » C'était la plus grosse unité de BSN. Elle employait 2 800 personnes et la CGT était dominante.

« Je lui ai demandé comment il allait faire. Il m'a dit c'est simple, vous allez recruter une trentaine de personnes, beaucoup d'anciens militaires dont j'ai les noms. Ils vont créer un syndicat indépendant adhérent à la CFT (Confédération Française du Travail), et ensuite vous aiderez le syndicat à élargir son audience selon des méthodes éprouvées que je vous indiquerai. C'est ce que j'ai fait par exemple chez Simca à Poissy ou chez Citroën à Aulnay. »

François Destailleur remercia Louis Galtier pour son offre de service qu'il déclina évidemment, tant elle était contraire à son éthique et aux pratiques de BSN. Lui, le professionnel des relations sociales, découvrait la lutte sourde menée pour la reconquête du pouvoir dans les usines. Tous les coups étaient permis : mercenaires infiltrés via des agences d'intérim complices, milices patronales proches du SAC (Service d'Action Civique) employées dans des agences de gardiennage, fichiers des militants CGT et CFDT, recours aux informateurs, mouchards, etc.

Les bastions de cette lutte antisyndicale étaient Simca, Citroën, Peugeot et Berliet. L'éminence grise, le conseiller incontournable, le véritable créateur de la CFT, le découvreur d'Auguste Blanc, secrétaire général de la CFT chez Citroën, était cet étrange M. Galtier, qui à près de soixante-dix ans alla continuer sa carrière en Italie chez Alfa Romeo et l'achever chez Roussel Uclaf.

La bataille pour la reconquête des usines prend un nouvel essor après les élections à l'Assemblée nationale du 18 mars 1978, qui constituent une divine surprise pour le patronat. La gauche était donnée favorite et la droite parvient à conserver la majorité au Parlement.

Cet éclaircissement de l'horizon politique accélère les initiatives patronales. Les patrons sont décidés à reprendre en main le jeu social en affaiblissant la CGT et la CFDT.

La stratégie frontale consistant à créer, comme le préconisait Louis Galtier, un syndicat maison adhérent à la Confédération Française du Travail avait généré trop de bavures. Avec l'expérience, les nouvelles stratégies patronales deviennent beaucoup plus sophistiquées. Il s'agit désormais de trouver des alliés dans les syndicats fréquentables (FO, CFTC, CGC) en offrant des contreparties intéressantes au personnel.

La bataille de Marignane est donnée en exemple et enseignée comme cas d'école. Le stratège en est Fernand Carayon, directeur de la SNIAS à Marignane (aujourd'hui Eurocopter). À son arrivée, elle comptait 70 % de cégétistes, les débrayages étaient quotidiens, l'usine ingouvernable. Fernand Carayon ne lésine pas sur les moyens mixant carotte et bâton. Les délégués CGT sont isolés dans un atelier baptisé la « mine de sel » par le personnel. L'embauche est systématiquement contrôlée et la promotion filtrée. La carte FO est vivement recommandée pour se faire bien voir de la maîtrise. Le travail est organisé en îlots, des enquêtes auprès du personnel sont réalisées pour mesurer la satisfaction et l'attachement à l'entreprise et les conditions de travail sont améliorées. Résultat, l'intersyndicale FO-CGC-CFTC a pris le contrôle du comité d'entreprise et la CGT a été marginalisée.

On retrouve toutes les caractéristiques de la nouvelle gestion sociale qui seront enseignées dans des écoles aux nouveaux commandements et parrainées par l'UIMM. Les enseignements-clés sont : la revalorisation de l'autorité de la maîtrise en augmentant son pouvoir en matière de récompense et de sanction, la prise en compte des aspirations individuelles, l'isolement des adversaires (délégués syndicaux jugés irrécupérables), les enquêtes sociales pour suivre l'évolution du climat, l'individualisation de la gestion sociale avec la création de fiches individuelles qui déterminent augmentation, promotion, recrutement des enfants, etc. Ces fiches incluent une rubrique « État d'esprit et comportement » dont le poids est crucial dans l'appréciation. Les gourous de cette nouvelle école sont Claude Archambault, le DRH de Citroën, et Christian Fauvet, directeur de l'Institut Bossard, qui enseignent une stratégie sociale d'occupation du terrain bâtie sur le principe du jeu de Go. Le maître à penser dont ils se réclament avec une certaine provocation est le penseur marxiste Gramsci et sa théorie de la conquête du pouvoir par le contrôle de la société civile.

L'arrivée de la gauche au pouvoir en 1981 freine l'offensive patronale car beaucoup des entreprises concernées sont nationalisées. Pourtant les syndicats ne retrouveront jamais dans le secteur privé leur influence du début des années 1970. Quel fut le rôle des tactiques patronales dans l'affaiblissement des syndicats sachant que d'autres facteurs furent importants, en premier lieu la montée du chômage ? D'autres pays ont connu le même phénomène d'affrontement avec les syndicats : la Grande-Bretagne de Margareth Thatcher, les États-Unis de Ronald Reagan ou l'Italie de Fiat par exemple, mais le déclin de l'influence des syndicats dans les grandes entreprises françaises entre le milieu des années 1970 et le milieu des années 1980 est le plus prononcé, surtout si la comparaison s'élargit à l'Allemagne, le Benelux et les pays scandinaves.

4. D'Evian à la 5ᵉ équipe : l'apprentissage du changement négocié

Plusieurs usines de BSN vivaient dans un contexte de grève froide. Au sein de l'entreprise, les partisans de la méthode forte critiquaient la politique sociale du groupe jugée trop conciliante à l'égard de la CGT. Le conflit d'Evian illustre ce raidissement. La gestion du conflit Kronenbourg, et surtout l'accord phare sur la 5ᵉ équipe dans le verre d'emballage vont progressivement orienter BSN vers une démarche qui sera le prélude des accords de modernisation négociée des années 1980.

Le conflit d'Amphion-Evian (été 1977)

L'usine d'Amphion qui embouteille l'eau d'Evian emploie un millier de salariés. Elle avait connu en 1971 un conflit dur mettant en cause le comportement autoritaire de la maîtrise qui eut pour conséquences un recul de l'autorité de la hiérarchie et le pouvoir considérable pris par les syndicats CGT et CFDT. Signe de leur influence, les syndicats engageaient chaque année au mois de juin une grève intitulée « la grève des foins », qui permettait aux nombreux ouvriers-paysans de l'usine d'être doublement gagnants. Ils disposaient de quelques jours pour récolter le foin et ils obtenaient une augmentation de salaire de la direction qui cédait pour ne pas perdre de ventes pendant la haute saison.

1977 se présentait difficilement car le plan Barre de blocage des salaires et des prix remettait en cause les accords d'indexation des salaires sur les prix. Evian avait un tel accord. En contrepartie de sa suppression, la direction propose un accord d'intéressement sur les résultats. Les syndicats refusent. La direction d'Evian décide de ne pas céder quel qu'en soit le prix. Le véritable enjeu était de savoir qui était le patron de l'usine. La grève dure cinq semaines. C'est un échec pour les syndicats. Le jusqu'au-boutisme de la CGT est sanctionné par le personnel lors des élections de 1978 au comité d'établissement. L'intéressement est mis en place et l'autorité restaurée, mais à quel prix ! Evian perd dix points de part de marché en France. L'entreprise ne les retrouvera jamais. La croissance de l'eau d'Evian reposera désormais pour l'essentiel sur le développement des exportations.

Ce conflit avait été au final perdant pour tous les acteurs.

Le conflit d'Obernai-Kronenbourg (juin 1979)

La brasserie Kronenbourg d'Obernai est de loin la plus grande de France. Elle produit à elle seule plus de bière que toutes les usines de l'Européenne de Brasserie, la société sœur de Kronenbourg.

Depuis son inauguration en 1969, elle court après les volumes. Au nom des impératifs de production, elle a reporté à plus tard des initiatives telles que les ACVT, au motif qu'ils ne contribuent pas directement à la croissance des volumes. Alors que l'usine n'avait jamais connu de conflit, une grève éclate en juin 1979, et dure quatre semaines. Les revendications portent officiellement sur les salaires mais il est clair que les causes sont plus profondes. À l'issue du conflit, la direction décide d'engager des réunions avec le personnel pour lui permettre d'exprimer ses insatisfactions et ses attentes.

130 réunions sont organisées entre octobre 1979 et février 1980, sans la présence de la maîtrise pour faciliter l'expression. Elles révèlent la profondeur de la crise de management. Un plan d'action est mis en œuvre portant sur le management de l'encadrement, les conditions et l'organisation du travail, la communication et la formation.

Ce processus a permis la décrispation, un retour de la confiance et l'instauration d'un dialogue durable reposant sur le sentiment partagé que la plupart des problèmes avaient été pris en compte et qu'une évolution irréversible du management avait eu lieu.

L'accord 5ᵉ équipe chez BSN Emballage (1980-1982)

En 1979, la division Verre d'Emballage de BSN en France emploie 4 000 personnes dans 8 usines dont 2 400 ouvriers postés en 4 équipes pour faire tourner la production en continu le jour, la nuit et le week-end, car la fusion du verre dans les fours ne peut être arrêtée. Les conditions de travail sont pénibles, caractérisées par le bruit, la chaleur et les vapeurs de graisse. Le verre est un bastion de la CGT. Les relations sociales dans beaucoup d'usines de verre d'emballage sont l'objet d'un rapport de force permanent entre la direction et les syndicats.

Au cours des années 1970, le climat social se dégrade. L'automatisation des processus de fabrication et de contrôle qualité réduit le nombre des salariés postés et change les métiers et les compétences requises. Pour freiner la réduction d'emploi, les syndicats obtiennent des contreparties en matière de réduction du temps de travail qui passe entre 1970 et 1978 de 42 heures à 36 heures. Cette réduction graduelle du temps de travail des emplois postés multiplie les congés de récupération et déstabilise l'organisation.

Les ouvriers postés pour prendre leurs repos compensateurs changent en permanence d'équipe, ce qui casse la relation avec la hiérarchie. À l'inverse, les syndicats renforcent leur rôle autour des micro-négociations sur les congés et les remplacements. Un diagnostic de communication montre comment les délégués syndicaux, pour affaiblir l'autorité des directions d'usine sur les ouvriers, les court-circuitent systématiquement en adressant directement leurs revendications au siège.

Dans quelques usines, le harcèlement syndical est constant, sur le modèle de la grève froide décrit plus haut. À l'usine de Veauche, un incident qui paraissait inimaginable chez BSN est perçu comme un avertissement : après un affrontement verbal avec le chef du personnel, des militants CGT l'ont attendu le soir à la sortie de l'usine, l'ont menacé et ont engagé une course-poursuite en voiture. Après cet événement, il fut demandé à l'Institut Bossard d'aider la direction de l'usine à restaurer les relations de travail.

Face à la dégradation du climat social et à la revendication permanente de réduction du temps de travail des postés, Antoine Martin, le directeur des relations humaines de BSN Emballage, décide de prendre l'initiative.

Une pré-étude est menée montrant que le passage à 35 heures revendiqué par les syndicats aggraverait encore la déstabilisation des équipes postées et que la seule manière de retrouver des équipes stables serait de passer de 4 à 5 équipes.

En s'appuyant sur la force d'un projet économique et social cohérent, la direction de BSN décide d'ouvrir la négociation. Elle débute en avril 1980 et va durer près de deux ans. Antoine Martin propose d'emblée aux partenaires sociaux qui ne s'y attendaient pas le travail posté en cinq équipes au lieu de quatre, soit un horaire hebdomadaire de trente-trois heures trente-six minutes. Il indique que cette réduction importante sera obtenue sous réserve de contrepartie sur les salaires et la productivité. Quatre réunions de la commission paritaire d'entreprise aboutissent le 28 novembre 1980 à un accord-cadre signé par la CFDT et la CFTC, mais rejeté par la CGT, FO et la CGC.

La réduction d'horaires des postés à 33 h 36 entraîne un coût supplémentaire de 7 % de la masse salariale. L'accord prévoit que dans chaque usine, seront négociés des gains de productivité hors investissement pour financer ce coût ainsi que l'abandon des indemnités de nuisances non subies (moins de nuits, moins de dimanches), ce qui se traduit par une diminution de la rémunération des postés de 1,6 % en moyenne. La CGT est partagée et décide de consulter le personnel usine par usine : 4 usines votent en faveur de l'accord, 3 sont opposées et une vote 50-50. Face à ces résultats ambigus, la CGT ne décide ni de signer, ni de s'opposer à l'étape de négociation dans les usines.

La deuxième phase de la négociation se déroule sur le terrain, usine par usine. Des groupes d'études associant l'encadrement, le personnel et ses représentants sont créés pour mettre en œuvre les conditions d'application de l'accord.

À l'automne 1981, chaque usine a identifié les gains de productivité. La CGT s'est progressivement ralliée à la démarche.

Le 22 janvier 1982, l'accord instituant la 5ᵉ équipe et l'horaire de 33 h 36 est signé par BSN avec les cinq organisations syndicales. L'importance de l'accord est immédiatement soulignée par les experts et les médias. L'éditorial de première page du journal *Le Monde* s'intitule : « 33 heures 36 ».

L'Agence nationale pour l'amélioration des conditions de travail (ANACT) publie en novembre 1982 un numéro spécial sur la « 5ᵉ équipe BSN ».

L'article souligne la portée innovatrice de l'accord en mettant en évidence les points suivants :

– un dialogue dans l'entreprise qui juxtapose l'économique et le social et qui aboutit à des résultats jugés positifs par les partenaires sociaux ;

– une démarche à deux niveaux : un accord cadre qui fixe les règles du jeu et une négociation par usine qui intègre la réalité pratique de la vie des gens, l'organisation, les rythmes de travail, la santé ;

– la longueur de la démarche qui a permis au personnel de comprendre les enjeux, de détecter les problèmes que pose la mise en œuvre de la 5ᵉ équipe et d'impliquer les postés eux-mêmes.

Le temps a permis que l'expression mûrisse et que la participation s'apprenne.

Un résultat essentiel de l'accord BSN est d'avoir amélioré fortement le dialogue social dans les usines.

Chez BSN et dans beaucoup d'autres entreprises, l'accord 5ᵉ équipe sera la référence des accords dits de modernisation négociée des années 1980, visant à améliorer simultanément efficacité économique, conditions de travail et dialogue social.

5. Allié de la 2ᵉ gauche

Après l'élection de François Mitterrand et les nationalisations des principaux groupes industriels et des grandes banques, le grand patronat est en opposition frontale avec le gouvernement. Les relations cordiales d'Antoine Riboud avec la gauche exaspèrent une partie de ce patronat.

L'affaire Paribas et les lois Auroux sont les moments culminants de ce conflit.

L'affaire Paribas (octobre 1981)

Paribas est en tête de la liste des nationalisations en raison de son influence dans l'économie française. Antoine Riboud et son frère Jean, président de la société de prospection pétrolière Schlumberger, sont administrateurs de Paribas et proches de son ancien président Jacques de Fouchier. Le président Pierre Moussa décide de soustraire Paribas Suisse à la nationalisation en vendant secrètement cette filiale stratégique à une holding étrangère amie.

Antoine Riboud raconte[1] :

> Octobre 1981, je reçois un appel téléphonique du secrétariat de Jacques Delors, ministre de l'Économie et des Finances. Il veut me voir de toute urgence. C'est à Antoine Riboud, administrateur de Paribas, qu'il parle.
>
> « Je vous demande d'aller prévenir M. de Fouchier, l'ancien président de Paribas, que je détiens la copie d'une lettre écrite et signée par Pierre Moussa, son successeur, concernant la vente de la filiale de Paribas en Suisse à une holding étrangère, pour la soustraire à la nationalisation. »
>
> J'accepte la mission. Je rapporte les propos à Jacques de Fouchier qui fait réunir de toute urgence le conseil d'administration.

Le conseil d'administration de Paribas exige la démission de Pierre Moussa et nomme Jacques de Fouchier président pour un temps limité avec le concours d'un comité de deux administrateurs, Tom Fabre et Antoine Riboud.

Beaucoup de patrons, notamment parmi ceux qui s'estiment spoliés par les nationalisations, en voudront à Antoine Riboud d'avoir accepté d'être le relais des

---

1. Antoine Riboud, *Le Dernier de la classe, op. cit.*

socialistes pour faire échouer la manœuvre du président de Paribas.

Conflit sur les lois Auroux 1982-1983

En 1982, le ministre du Travail Jean Auroux fait voter des lois sur le dialogue social et l'expression des salariés qui suscitent une forte controverse parmi les chefs d'entreprise.

Une bonne partie du patronat, y compris François Ceyrac, le président du CNPF de 1974 à 1981, acceptait le principe de l'expression des salariés. Le débat portait sur le rôle des syndicats. Il y avait la « bonne » expression inspirée des cercles de qualité japonais et la « mauvaise » expression caricaturée comme des conseils d'atelier inspirés des soviets d'usine. Le principal désaccord portait sur l'article de la loi qui exigeait une négociation préalable avec les syndicats sur les rôles respectifs de l'encadrement et des représentants du personnel lors des réunions d'expression.

BSN a été beaucoup consulté lors de l'élaboration des lois Auroux, compte tenu de l'expérience des ACVT. Jean-Léon Donnadieu surtout a eu de nombreux contacts avec Martine Aubry, conseillère technique du ministre. Il raconte[1] : « Martine

---

1. Entretien à Dax.

117

Aubry est allée présenter les lois Auroux devant le patronat. Ils ont été furieux. Pour eux, c'était à nouveau remettre en cause l'autorité hiérarchique, un mai 68 légal. Pour calmer les appréhensions, elle leur a dit "mais nous nous sommes inspirés de BSN, ils le font déjà". Cela n'a pas arrangé la relation de BSN avec le patronat ! »

Un jour, lors d'une réunion professionnelle réunissant de nombreux DRH, Yvon Chotard, vice-président du CNPF, qualifie Antoine Riboud de « traître ».

L'apprenant par un ancien de BSN présent, Antoine Riboud adresse la lettre suivante, datée du 10 février 1983, au nouveau président du CNPF Yvon Gattaz :

> Lors de notre entretien téléphonique du 9 février, j'ai porté à votre connaissance les propos graves et diffamatoires tenus le 19 janvier par votre collaborateur et vice-président, M. Yvon Chotard, lors d'une réunion publique à laquelle assistaient les grands de la distribution, constituant les principaux clients de mon groupe.
>
> Évoquant les problèmes posés par l'application des lois Auroux, M. Chotard a défini la position du CNPF de la manière suivante : « Nous protesterons toujours contre ces lois, nous les appliquerons de façon restrictive. »

Il a terminé par un appel à la solidarité patronale, ajoutant : « Nous aurons toujours nos traîtres qui font de la publicité sur leurs expériences progressistes. Il y aura bien entendu des BSN... »

Votre réaction, lors de notre entretien téléphonique, m'a montré que vous partagiez mon opinion sur l'extrême gravité de ces propos, tenus au nom du CNPF. Celui-ci, d'une part, incite le patronat à se placer à la limite de la loi et, d'autre part, qualifie de traîtres ceux d'entre nous qui essaient d'appliquer loyalement et convenablement la législation en vigueur.

... Vous mesurez le caractère parfaitement diffamatoire de ces propos à l'égard de BSN d'autant plus accentué qu'ils ont été portés devant une assemblée composée de nos principaux partenaires commerciaux. Avant de décider les suites, éventuellement judiciaires, que la société BSN donnera à ces propos, je vous saurais gré de me faire savoir les mesures que vous envisagez de prendre pour réparer le préjudice causé à ma société par ce représentant du CNPF.

Antoine Riboud jouait sur du velours, car Yvon Chotard, le candidat officiel de l'UIMM, avait été battu en octobre 1981 par Yvon Gattaz, un chef d'entreprise quasi inconnu. Il avait dû se contenter d'un poste de vice-président. Depuis, les deux hommes entretenaient des relations exécrables. Leur conflit est resté dans les annales du patronat comme « la guerre des deux Yvon ».

Soutien à *Libération* (1981)

Début 1981, *Libération* est au bord de la faillite, en février sa parution est suspendue. À la crise financière s'ajoutent des tensions sur le positionnement politique du journal. Fondé le 5 février 1973, avec Jean-Paul Sartre comme directeur de la publication, *Libération* était le journal des luttes et de l'extrême gauche. Serge July, qui succède à Sartre en 1974, est un des co-fondateurs de la gauche prolétarienne. Petit à petit, le positionnement politique du journal évolue avec son directeur. Autour de 1978, *Libération* prend ses distances à l'égard de l'action violente et critique le terrorisme d'extrême gauche. En conflit politique avec plusieurs historiques du journal, Serge July aspire à créer un nouveau *Libé*, *Libé 2* : un journal de gauche avec un fort contenu culturel. Ayant besoin d'un soutien financier, il rencontre Antoine Riboud qui en parle ainsi dans ses mémoires :

> J'ai fait la connaissance de Serge July en mai 68. Nous avions des discussions interminables sur les événements. Plus tard, il vient un jour s'entrete-

nir avec moi de la situation financière du journal *Libération*. Il convient qu'un plan d'assainissement s'impose, qu'il faut gérer un journal comme toute entreprise.

Aujourd'hui, il est aidé par mon ami Jérôme Seydoux, qui lui apporte les compétences techniques dont toute entreprise a besoin.

Une société d'investissement, Communication et Participation, est créé. Claude Alphandéry en est le président, Jean Riboud et Jérôme Seydoux acceptent d'en être actionnaires. *Libération* est relancé en mai 1981 au lendemain de la victoire de François Mitterrand. *Libé 2* sera la période la plus glorieuse du journal avec un tirage qui ne cesse d'augmenter, atteignant 200 000 exemplaires. BSN se dégagera en 1995 en vendant sa participation aux Chargeurs, holding présidée par Jérôme Seydoux qui en deviendra l'actionnaire majoritaire.

Serge July gardera à Antoine Riboud une vive reconnaissance. Pour ses soixante-dix ans en 1988, il éditera un fac-similé de la couverture de *Libé* avec comme gros titre « Bon anniversaire Antoine ».

Quant à Antoine Riboud, au-delà de son amitié pour Serge July, son soutien était conforme avec ses convictions sur la nécessité de renforcer la voix de la sociale démocratie en France.

6. Patron de gauche ?

Antoine Riboud était-il un patron de gauche ? Il s'en défendait sans être gêné par cette réputation.

Michel Rocard a bien connu Antoine Riboud. Il a accepté de rédiger la préface du livre *Antoine Riboud, un patron dans la cité*[1] :

> À l'occasion de Lip, notre convergence de convictions fut mise à l'épreuve et vérifiée. Nous en sommes sortis plus proches l'un de l'autre si c'était possible, ayant tous deux porté ce dossier clandestinement pendant quatre ou cinq mois.
>
> Antoine Riboud était admiratif de mon difficile combat pour la pleine reconnaissance du marché par la gauche française et notamment par mon parti, le Parti socialiste, auquel sa longue et douloureuse histoire rendait difficile cette démarche essentielle. Il m'a même utilement conseillé à bien des reprises.

Patron engagé mais pas patron de gauche, Michel Rocard exprime bien cette nuance importante :

---

1. Pierre Labasse, *Antoine Riboud, un patron dans la cité*, Préface Michel Rocard, Le Cherche Midi, Collection Documents – 2007.

Il n'était pas patron de gauche. Il était un patron pour qui la dimension sociale de l'entreprise est une des clés essentielles de son avenir. Il était en plus un homme de dialogue profondément soucieux de l'avenir de notre société, qui était à ses yeux principalement conditionné par la capacité de la droite comme de la gauche à respecter les conditions minimales de la prospérité et de la cohésion sociale de la société française.

Antoine Riboud et Michel Rocard avaient les mêmes adversaires : les conservateurs de gauche et de droite. Son conflit avec l'aile dure du CNPF avait des similitudes avec celui de Michel Rocard au congrès du Parti socialiste de Metz (1977), qui s'était déchiré sur la reconnaissance de l'économie de marché. Antoine Riboud était convaincu que pour éviter la catastrophe inéluctable à ses yeux de l'économie administrée par l'État, il ne fallait pas que les idéologues confisquent le débat. Pour construire la légitimité sociale de l'entreprise, les patrons devaient s'engager et montrer l'exemple. Le discours de Marseille, Lip, les rendez-vous d'Assas, la 5ᵉ équipe, l'appui aux lois Auroux ou à *Libération*, la crise Paribas, en étaient autant de manifestations. Pierre Labasse, qui fut, pendant vingt-cinq ans, directeur de la communication de

BSN, a écrit un livre consacré aux principaux textes et engagements d'Antoine Riboud.

Il l'a intitulé *Un patron dans la cité*. 1977-1983 est une période charnière. Fin 1977, la rupture de l'union de la gauche a entraîné au plan syndical la rupture du front des syndicats révolutionnaires CFDT-CGT, suite au soutien par la CGT de la position du Parti communiste. Ce nouveau contexte a favorisé le recentrage de la CFDT qui donnait la priorité à l'action syndicale sur l'action politique.

À partir de 1983, le ralliement de François Mitterrand aux idées portées par Delors, Rocard, Mauroy, Bérégovoy et la CFDT consacre la victoire des sociaux-démocrates contre la gauche jacobine incarnée par le CERES de Chevènement, le Parti communiste et la CGT. Lip a semé les graines d'un dialogue entre le patronat réformateur et la CFDT qui s'est concrétisé dans les rendez-vous d'Assas. Ce dialogue a construit de la confiance, au même titre que le club « Échanges et Projets » créé par Jacques Delors.

Quel rôle ont joué ces démarches dans le tournant de 1983 ? La réponse est du ressort des historiens.

4

La modernisation négociée
(années 1980)

1. La réhabilitation de l'entreprise

Au début des années 1980, les grandes entreprises en France attiraient toutes les critiques. Elles étaient synonymes d'exploitation et d'aliénation. Les nationalisations de 1981 avaient été perçues par beaucoup de Français comme une juste sanction.

Le 18 mars 1983 marque un tournant de l'histoire économique et sociale de la France. C'est le jour où François Mitterrand, conseillé par Jacques Delors et Pierre Mauroy, fait le choix de la rigueur, de la construction européenne et résiste aux tenants de la dévaluation qui lui recommandaient de laisser flotter le franc. L'annonce de la signature de l'acte unique en 1984 et de la création d'un grand marché européen unifié stimule la concurrence et les échanges.

C'est le point de départ d'un nouvel environnement économique et social. Les idéologies sont rangées au placard. Les tenants de la lutte des classes Parti communiste d'un côté, patronat de combat de l'autre, sont stigmatisés comme archaïques. Un symptôme fort de ce changement culturel est l'énorme succès de l'émission *Vive la crise* en 1984 avec Yves Montand et Michel Albert. Dans un monde ouvert et concurrentiel, l'entreprise est réhabilitée au nom de la bataille pour la compétitivité et pour l'emploi. L'entreprise nouvelle doit être du 3e type[1], inspirée du modèle des entreprises japonaises qui ont rebondi beaucoup plus vite et plus fort de la crise pétrolière des années 1970. Pendant longtemps, le succès des entreprises japonaises a été attribué aux caractéristiques culturelles de la main-d'œuvre japonaise et était donc jugé inexportable.

Le fait que les usines des japonais Hitachi, Nissan ou Sony transplantées au pays de Galles obtiennent d'excellentes performances avec une main-d'œuvre

---

1. Sérieyx et Archier, *L'Entreprise du troisième type*, Seuil – 1984.

anglaise démontre le caractère universel des méthodes japonaises. L'amélioration continue de la qualité, le juste à temps pour réduire les stocks, les cercles de qualité pour associer le personnel aux progrès continus sont les nouveaux slogans du management. Face à la concurrence, il faut mobiliser le personnel, créer une communauté humaine soudée autour d'un projet d'entreprise. L'autorité hiérarchique est remplacée par le management participatif. À l'autorité des chefs se substitue l'autorité découlant de la pression des clients et de la concurrence. La mobilisation des ressources humaines et la participation du personnel sont les piliers du nouveau management. En témoigne le slogan des années 1980 : « Ce sont les hommes qui font la différence. »

Un autre enjeu central est l'introduction massive des nouvelles technologies, qui est un facteur d'accélération de la productivité et d'évolution des compétences. Comme l'écrit Danièle Linhart[1] : « Dans le nouveau panorama technologique et économique, les stratégies s'inversent. Les directions d'entreprise décident de s'intéresser aux compétences, aux savoirs, aux savoir-faire informels. [...] La lutte des classes s'est effacée au profit d'une bataille commune pour la performance et l'emploi. » Une action de référence est

---

1. Danièle Linhart, *Le Torticolis de l'autruche*, Seuil – 1991.

127

le projet 1 000 = 1 000 de Merlin Gerin à Grenoble, qui aboutit à la transformation de 1 000 emplois traditionnels en 1 000 emplois nouveaux, grâce à la cartographie des emplois futurs et à un plan massif de formation et de reconversion basé sur le volontariat. L'opération ISOAR (Impact Social et Organisationnel des Automatismes et de la Robotique), qui avait accompagné le lancement de la 205 à Peugeot Mulhouse, est également citée en modèle. Cette démarche participative associant les ouvriers et la maîtrise visait à déterminer les modalités organisationnelles et sociales facilitant la maîtrise des automatismes et des robots.

Toutes ces évolutions placent les usines au cœur de la bataille pour la compétence et la compétitivité.

Pour les entreprises, c'est un défi majeur à relever. Qu'en a-t-il été pour BSN ?

2. BSN : cap sur l'Europe dans l'alimentaire

Au début des années 1980, suite à la cession du verre plat, BSN est plus petit. Le groupe est passé de 74 000 employés en 1974 à 56 000. Il est aussi plus riche, il dispose d'un trésor de guerre qui lui permet de mener une stratégie de conquête fondée sur la multiplication des acquisitions tout au long des années 1980. La stratégie est de passer d'une position de leader en France à une position de leader en Europe sur chacun de ses marchés : bière, eaux, produits frais, pâtes, biscuits, sauces, plats cuisinés, etc.

La méthode privilégiée est l'acquisition d'entreprises dotées d'une marque à fort potentiel comme Amora, LU ou Galbani suivie d'une modernisation de leur gamme de produits, de leur outil industriel et de leur gestion. Entre 1983 et 1992, l'effectif en France reste stable autour de 26 000 salariés alors que l'effectif européen (hors France) progresse de 6 000 à 30 000 salariés.

À la fin des années 1980, BSN est devenu le 3e groupe européen de l'alimentation derrière Nestlé et Unilever. La réputation d'Antoine Riboud est à son zénith. Son passage à l'émission d'information vedette *L'heure de vérité* en octobre 1989, où il sort de sa poche un carambar, est un grand succès personnel. Au plan social, la nouvelle génération des patrons des grandes entreprises : Roger Fauroux (Saint-Gobain), Jean Gandois (Pechiney), Olivier Lecerf (Lafarge), Jérôme Monod (Lyonnaise des eaux), Jean Peyrelevade (Suez), Didier Pineau-Valencienne (Schneider), Antoine Guichard (Casino)… a souvent des sensibilités proches des siennes.

Au sein de BSN, les deux principaux collaborateurs d'Antoine Riboud partent à la retraite. Francis Gautier, vice-président directeur général du groupe, est remplacé en 1985 par Georges Lecallier, l'homme qui a dirigé le redressement du verre plat. La succession de Jean-Léon Donnadieu a lieu en deux temps. D'abord par Georges Lecallier, ce qui lui permet de s'imprégner fortement du double projet avant de devenir le patron opérationnel du groupe, puis par Antoine Martin, l'homme qui a négocié la 5e équipe. Il est nommé DGRH en 1986 et forme une sorte de binôme avec Gabriel Bergougnoux, le successeur de François Destailleur, qui sera, jusqu'à sa retraite en 1998, le gardien de la politique sociale de Danone et de sa politique d'ouverture à l'égard des syndicats.

3. Le choix de la modernisation négociée

La crise du verre plat a marqué les esprits. BSN a évité de peu la catastrophe au milieu des années 1970 du fait du retard de la compétitivité des sociétés du verre plat. Dans la bière, les problèmes de l'Européenne de Brasserie ont pu être compensés par la croissance et les bons résultats de Kronenbourg.

La leçon a été comprise. L'ardente obligation, c'est la modernisation et la productivité. Antoine Riboud adresse à tous les dirigeants de BSN une lettre datée du 31 décembre 1979 qui définit la feuille de route des années 1980 :

> Pour la décennie 1980, le problème consiste à améliorer la productivité grâce à l'investissement et à l'organisation du travail.
>
> Vous devez ambitionner un taux annuel de productivité d'au moins 5 %. Vous devez reclasser le personnel excédentaire y compris par la création d'activités nouvelles sur le site des usines.
>
> La productivité est étroitement liée à l'évolution de la technologie. La vulgarisation de l'électronique va conduire à un changement profond et rapide des technologies et de leur contrôle. Vous devez planifier ces changements et leurs conséquences.

L'impératif de la modernisation et de la productivité affirmé, la question essentielle demeurait : comment atteindre ces objectifs ?

En simplifiant les positions, on pouvait distinguer deux approches se référant à deux modèles :

• le modèle « japonais », qui s'appuyait sur la hiérarchie et les cercles de qualité pour obtenir la productivité avec comme résultat collatéral implicite l'affaiblissement des syndicats ;

• le modèle « allemand », qui reposait sur une modernisation négociée avec des syndicats puissants avec comme résultat collatéral le renforcement des syndicats réformistes.

Dans le prolongement de l'accord sur la 5ᵉ équipe, le choix de BSN fut le modèle de modernisation reposant sur le dialogue et la négociation avec les syndicats et la participation des salariés. Cette conviction, Antoine Riboud va la marteler au sein de BSN et à l'extérieur.

En témoigne cet article très remarqué à l'époque dans la revue *CFDT Aujourd'hui*. À l'occasion du centenaire de la loi Waldeck-Rousseau de 1884 portant sur la reconnaissance des syndicats, la revue de la CFDT publiait dans son numéro de mars-avril 1984 un dossier spécial. Les auteurs sont des historiens, sociologues, syndicalistes et un seul patron : Antoine Riboud.

CFDT aujourd'hui – Article d'Antoine Riboud (extraits).

La société libérale devrait avoir une dette de reconnaissance vis-à-vis du syndicalisme. C'est très largement l'action des syndicats qui a obligé la société libérale à devenir plus humaine ; la lutte des classes a contribué à obtenir de la société libérale une répartition plus juste, plus équitable des richesses, à améliorer les conditions de travail et à développer la protection sociale.

Malgré ce rôle essentiel, l'audience du syndicalisme diminue aujourd'hui en Europe occidentale. La société industrielle est en profonde mutation. Il n'y a donc aucune raison pour que le syndicalisme ne change pas lui aussi. On peut imaginer deux scénarios opposés :

– Le premier, que j'appellerais optimiste, repose sur une double prise de conscience. Le patronat doit comprendre et admettre la nécessité d'un changement négocié de l'organisation du travail, changement facilité aujourd'hui par les droits nouveaux du personnel, notamment en matière d'expression et de négociation. Le syndicat doit comprendre la nécessité et les impératifs de la compétitivité, de la productivité et de l'évolution technologique.

– Le second scénario, que je qualifierais de pessimiste, repose sur un refus du dialogue. Le syndicalisme serait alors rejeté hors du processus de transformation industrielle du fait de son propre comportement et de celui du patronat.

Le syndicat se cantonnerait ainsi dans la seule défense du pouvoir d'achat et ne deviendrait pas un acteur du changement.

Ce message, il le reprend en octobre 1986 lors de la première convention des responsables de la fonction relations humaines en Europe, réunissant 200 personnes à Strasbourg. Dans son discours introductif, Antoine Riboud précise ce qu'il attend de la fonction RH :

> Le social seul a la légèreté des bonnes intentions qui sont emportées au moindre souffle. La recherche exclusive de la réussite économique est sans efficacité car les salariés ne l'acceptent pas à la longue or l'homme est la clé de la productivité. Vous devez reconnaître l'existence de deux logiques, celle du chef d'entreprise qui recherche un résultat financier pour le développement de son entreprise face à la concurrence et la logique des salariés qui recherchent une amélioration de leur rémunération et de leur sécurité.
> Il faut accepter l'affrontement entre ces deux logiques qui se traduit par des grèves, de l'absentéisme, de la non qualité.
> Il faut accepter le contrepouvoir syndical qui oblige à mieux gérer, à communiquer avec les salariés et

à négocier avec les syndicats. En parallèle, vous devez expliquer aux syndicats la nécessité de la productivité.

4. Les chantiers majeurs de la modernisation de BSN

Plusieurs chantiers importants sont lancés tout au long des années 1980. Ils constituent une sorte de modèle de modernisation qui sera, en 1987, la base du rapport *Modernisation, mode d'emploi* rédigé par Antoine Riboud à la demande du Premier ministre Jacques Chirac. Ces chantiers portent sur :
- l'aménagement du temps de travail et la flexibilité ;
- l'introduction des nouvelles technologies ;
- la productivité globale ;
- la participation des salariés et les organisations qualifiantes ;
- le dialogue avec les syndicats européens.
Les années 1980 sont l'âge d'or des directeurs d'usine et des directeurs industriels de BSN. Ils passent d'une logique de restructuration et de gestion du rapport de forces avec les syndicats à une logique de modernisation et de dialogue social. Ils sont les acteurs-clés des deux leviers principaux de la

compétitivité des entreprises : la qualité et les coûts. Ils s'engagent à fond dans les chantiers de modernisation avec les services organisation et formation (SOF) en appui.

Pour animer cette politique, impulser et évaluer les chantiers, dégager les bonnes pratiques, Jean-Léon Donnadieu crée la direction des stratégies socio-industrielles en charge de la coordination des projets de modernisation. Georges Egg, recruté en 1973 par Jean-Léon Donnadieu comme directeur de l'organisation et de la formation, en sera pendant sept ans le patron, ainsi que l'animateur du réseau des SOF dont la mission est désormais centrée sur la conduite des projets de modernisation. Ingénieur des mines, il avait été longtemps le bras droit de Bertrand Schwartz à la Cuces de Nancy, l'organisme pionnier de la formation des adultes réputé pour ses méthodes pédagogiques innovantes.

Au sein de cette direction, j'étais co-responsable avec Michel Bernier, un ex-chercheur, de la fonction planification sociale et développement. Nous avions en charge l'animation de la planification sociale dans les sociétés du groupe et la conduite des chantiers pilotes.

L'aménagement du temps de travail et la flexibilité

Au début des années 1980, dans la foulée de l'accord 5ᵉ équipe, de nombreuses sociétés de BSN signent des accords d'aménagement du temps de travail fondés sur le principe gagnant-gagnant. Dans les usines, des organisations plus flexibles sont mises en place qui permettent d'augmenter la durée d'utilisation des équipements et d'adapter la production aux variations saisonnières des ventes. En contrepartie, les salariés bénéficient d'une réduction du temps de travail.

Ainsi, chez Kronenbourg, la durée du travail des ouvriers des brasseries passe de 38 à 35 heures, la contrepartie est de travailler une dizaine de samedis pendant la haute saison.

Chez Gervais Danone, les ouvriers passent en deux étapes à 35 heures. En contrepartie, les lignes du conditionnement ne sont plus arrêtées pendant les pauses, ce qui augmente la capacité de production d'environ 10 % du fait de l'allongement de la durée d'utilisation des lignes.

Evian crée une équipe de week-end qui fonctionne en haute saison. Le personnel est composé de volontaires qui travaillent en 2 × 10 h et sont payés 50 % en plus.

De tels changements étaient difficiles à imaginer dans le contexte social des années 1970, ils soulignent l'évolution des mentalités des salariés et de leurs représentants.

La mise en œuvre des nouvelles technologies

La période 1976-1987 correspond à un renouvellement accéléré des outils de production. Les nouvelles lignes de conditionnement dans le yaourt et d'embouteillage dans l'eau et la bière deviennent beaucoup plus puissantes. Les capteurs électroniques sont implantés pour réguler la fabrication des produits et la conduite des machines et pour contrôler la qualité. Les robots et la palettisation automatique suppriment la plupart des interventions manuelles dans les ateliers d'emballage et dans les halls de stockage. Le travail des ouvriers change. Ils deviennent des opérateurs de production qui surveillent les lignes, anticipent les aléas et en gèrent les conséquences. Ils collaborent avec la maintenance, sur l'entretien préventif et le diagnostic des pannes, et avec la qualité pour gérer les paramètres qui affectent la qualité des produits ou leur conditionnement (dosage, étiquetage, emballage).

Les nouvelles technologies sont en théorie un facteur essentiel d'augmentation de la productivité. Encore faut-il que les performances annoncées tiennent leurs promesses car elles sont l'occasion de mise au point difficile, de conception défaillante, qui conduisent à des surcoûts parfois considérables.

BSN a connu de nombreux problèmes dont deux particulièrement importants : K23, la nouvelle salle de brassage de l'usine Kronenbourg d'Obernai et la nouvelle usine de yaourts de Saint-Just-Chaleyssin de Danone dans la Drôme. Dans les deux cas, la mise en route a pris plus d'une année de retard avec des performances très inférieures à celles qui avaient été prévues.

Pour tirer les enseignements de tous ces problèmes, il est décidé de créer un groupe de travail que j'anime avec l'aide d'Olivier du Roy, co-directeur de l'IECI, cabinet basé à Strasbourg et Jean-Jacques Cournapeau, responsable du brassage de Kronenbourg et du projet de la construction de la nouvelle salle de brassage K24.

J'avais acquis une expérience fructueuse avec mes amis du cabinet d'architectes Mazery, Valode et Pistre. Nous avions participé au premier concours d'architecture industrielle lancé par le ministère du Travail en 1977. Notre projet était de reconstruire la fonderie du Bélier, une fonderie d'aluminium près de Bordeaux. Notre démarche avait été d'interroger tous les membres du personnel sur leurs conditions de travail, l'organisation... puis de définir la programmation de chaque espace avec eux et enfin de traduire cette programmation en solutions ergonomiques, organisationnelles et architecturales.

Paul Cousty, sociologue formé à l'Adssa, s'était joint à l'équipe et avait pris en charge la consultation du personnel. L'originalité de notre démarche nous avait valu le 1er prix du concours et l'exposition du projet au Centre Pompidou. L'entreprise avait reçu une subvention de 15 % qui couvrait le surcoût de l'investissement pour construire la nouvelle fonderie inaugurée en grande pompe par Jacques Chaban-Delmas en 1980.

Plusieurs chantiers pilotes furent menés chez BSN dont le plus marquant fut la nouvelle salle de brassage K24 de l'usine Kronenbourg d'Obernai. Un diagnostic fut conduit sur la dernière salle de brassage K23 construite quatre ans auparavant, qui posait de multiples problèmes de production du fait d'une automatisation mal conçue et d'un environnement de travail très critiqué par les équipes de brassage.

Ce diagnostic qui associait toutes les catégories d'utilisateurs : encadrement, opérateurs, entretien, qualité, etc. permit de dégager quatre domaines-clés que nous avons intitulés les *axes d'enrichissement des projets industriels*, ils concernaient :

• les conditions d'exploitation et de maintenance : par exemple la sélection des informations sur les écrans de contrôle ou la facilité d'accès du personnel d'entretien aux vannes ;

• les conditions de travail : par exemple de recréer l'identité d'une brasserie (aspect des cuves, échelle de l'espace, vue sur la plaine d'Alsace, etc.) alors que la salle de brassage K23, aveugle et immense, ressemblait à une raffinerie de pétrole ;

• l'organisation du travail avec les services connexes (qualité, entretien, gestion) : par exemple une gestion des alarmes sélective en fonction des aléas et l'information à partager entre les services ;

• l'anticipation des évolutions potentielles liées par exemple à la croissance des volumes ou aux changements de technologie qui impactent l'espace nécessaire et les implantations.

Les enseignements tirés des multiples expériences ont permis de rédiger le guide BSN d'enrichissement des projets industriels qui donna lieu au livre *Réussir l'investissement productif*[1] dont Antoine Riboud rédigea la préface.

L'idée principale était que la conception d'un projet industriel ne devait pas se réduire à un projet technique confié aux ingénieurs des bureaux d'études. Les projets d'investissement devaient

---

1. Olivier du Roy, Jérôme Tubiana, Jean-Claude Hunault, *Réussir l'investissement productif*, Édition d'organisation – 1984.

être enrichis, c'est-à-dire que le cahier des charges technique devait être complété par un cahier des charges des exploitants, les « utilisateurs » des équipements, dont l'expérience, les avis et les objectifs étaient indispensables à intégrer pour le succès d'un projet.

La productivité globale

Au début des années 1980, chaque usine de BSN eut la mission d'établir sa cible d'amélioration de la productivité en respectant le principe clé de la politique du groupe résumé dans la phrase « faire l'entreprise de demain avec les hommes d'aujourd'hui ». Il s'agissait d'imaginer l'usine à l'horizon 5 ans : l'outil de production, l'organisation, les métiers, les effectifs… En bref, d'anticiper pour gérer les hommes de façon prévisionnelle en termes de formation, recrutement et reconversion. Des indicateurs de gestion pour suivre la réalisation des objectifs de productivité furent mis en place. L'indicateur utilisé était le nombre d'heures par unité produite, hectolitre pour les boissons ou tonne pour les yaourts par exemple. L'avantage de cet indicateur était sa simplicité, son inconvénient, l'importance attachée aux effectifs et la non prise en compte du coût des investissements.

Le résultat fut que les usines réclamèrent des investissements pour améliorer la productivité de la main-d'œuvre. Au fil des années, le montant des investissements industriels progressa fortement et en parallèle l'idée que la substitution capital-travail n'était pas suffisamment contrôlée. Un groupe de travail fut coordonné par Philippe Lenain, directeur général adjoint du groupe. Plusieurs chantiers furent menés, l'un d'eux fut conduit par mon collègue Michel Bernier dans l'usine Carambar de La Pie Qui Chante à côté de Lille. Il servit de révélateur. Il montrait que l'investissement d'automatisation du conditionnement avait bien réduit de 50 % le coût du travail des opérateurs travaillant sur les lignes de production. Mais il faisait apparaître que si tous les coûts de production étaient pris en compte, le prix de revient du carambar s'était au total dégradé en raison de l'augmentation du coût d'entretien, de la baisse des rendements liée à des arrêts de production plus fréquents et plus longs et surtout au coût d'amortissement de l'investissement.

Un nouveau concept est alors apparu, celui de productivité globale. Il s'agissait de passer de la mesure de la productivité main-d'œuvre à celle de l'efficacité du système global de production en incluant le coût d'amortissement des investissements.

En novembre 1987, Philippe Lenain adressait à toutes les usines une note portant sur la productivité globale.

> Nous avons bien conscience de l'importance de ce concept qui doit nous permettre de ne pas nous tromper de combat. Nous avons demandé au cabinet SMCI de mettre au point une méthode de cette efficacité globale à Kronenbourg qui sera déployée ensuite dans tout BSN.

Le concept de productivité globale fut une révolution culturelle au sein de BSN, un nouveau paradigme. Il permit de mieux maîtriser les décisions d'investissement, de privilégier les solutions allongeant le taux d'utilisation des équipements et de freiner la pression sur l'emploi des ouvriers de production.

Dans le rapport *Modernisation, mode d'emploi*, Antoine Riboud écrit :

> Les ingénieurs des usines passaient 80 % de leur temps à réduire le coût main-d'œuvre qui représentait moins de 20 % du prix de revient alors que les véritables gisements de productivité étaient dans les achats et le rendement des installations. Le rendement des installations repose sur un personnel

qui s'implique plus fortement. On ne réussit les changements technologiques, plus largement, on ne réussit économiquement que si on réussit avec les hommes.

La réussite avec les hommes, c'est une bonne définition de la mission du management participatif.

Participation des salariés et organisations qualifiantes

Dès 1982, BSN, fort de son expérience, décida de s'appuyer sur les lois Auroux sur l'expression des salariés pour promouvoir une association du personnel à la vie économique de leur atelier.

Alors que les réunions ACVT étaient centrées sur l'amélioration des conditions de travail, la participation du personnel fut repositionnée avec le double objectif d'efficacité économique et de progrès social.

Fin 1982, une action de sensibilisation, sous forme de séminaire, est menée auprès de tous les directeurs d'établissements, car l'expérience des ACVT avait montré que leur implication était un facteur décisif de réussite.

En 1983 et 1984, des accords d'expression furent signés dans la grande majorité des sociétés françaises (16 sur 18).

En 1985, les résultats de l'expression étaient « massifs » au plan quantitatif puisque 65 % du personnel en usine avait participé à des réunions d'expression. 1 300 groupes étaient recensés. Mais le bilan qualitatif, c'est-à-dire la dynamique de l'expression, était en retrait par rapport à ces indicateurs chiffrés.

Trois dynamiques se dégageaient :

– une dynamique revendicative qui amenait la hiérarchie et le personnel à une désaffection rapide vis-à-vis de l'expression ;

– une dynamique institutionnelle qui respectait les règles du jeu : ordre du jour, compte rendu, etc. Mais en fait, ce formalisme masquait souvent la pauvreté du contenu réel des échanges et aboutissait à un dépérissement progressif de l'expression ;

– enfin, une dynamique « management participatif » qui conciliait efficacité et progrès social.

Les dynamiques revendicative et institutionnelle étaient dominantes dans environ deux tiers des établissements alors que dans un tiers d'entre eux (soit une trentaine), c'est la dynamique management participatif qui l'emportait. Lorsque ce nouveau style de management était perçu, il générait un engagement accru du personnel en réponse à l'intérêt marqué par la direction. Les salariés appréciaient cette reconnaissance mais cette réponse positive tendait à perdre de sa force avec le temps.

Ces résultats mettaient en évidence que pour générer un changement durable, l'expression ne suffisait pas, il fallait aussi transformer l'organisation. Dix ans après les ACVT, les mêmes questions se posaient.

Un groupe de travail entre Pechiney et BSN fut décidé en 1988. L'objectif était de définir ce qui pouvait assurer un caractère durable au management participatif en dégageant les enseignements des expériences les plus en pointe dans les deux sociétés. Pour BSN, il s'agissait des usines d'Obernai (Kronenbourg), Steenvoorde (Blédina) et Ferrières (Danone). Pour Pechiney, les usines de Romans et d'Amiens.

Les points-clés qui se sont dégagés étaient :
– la mise en place de tableaux de bord d'atelier et la décentralisation des objectifs au niveau des équipes ;
– l'articulation du management participatif avec de nouvelles organisations permanentes, types îlots de fabrication à Amiens ou groupes auto-organisés (GTI) à Obernai, qui favorisent la responsabilisation des acteurs ;
– la nécessité d'un apprentissage des démarches associées au management participatif : formation à

147

la conduite de réunion et à la résolution de problèmes, méthodes pour améliorer la qualité, gérer
les incidents ou améliorer la sécurité, formation à
l'économie d'entreprise, etc.

Ce modèle d'organisation impliquait un personnel
qualifié capable d'analyser un tableau de bord,
rédiger un compte rendu, s'exprimer en réunion,
etc. Il posait le problème de l'avenir des salariés qui
risquaient d'être exclus du fait de leur faible niveau
d'éducation.

Comment moderniser les organisations sans
exclure ? Comment faire l'entreprise de demain avec
les hommes d'aujourd'hui ?

Une recherche fut menée par Philippe Zarifian,
directeur de recherche à l'École nationale des ponts
et chaussées avec François Marie, conseiller en organisation du groupe BSN.

Un résultat important fut l'idée de créer des organisations qui favorisent l'apprentissage et élèvent le
niveau de qualification des personnes sur une base
individuelle pour tenir compte de leur capacité à
acquérir de nouvelles compétences. La recherche
soulignait que les moments forts de l'apprentissage
sont ceux où il se passe des événements non prévus
(pannes, incidents qualité) qui obligent à analyser, à
faire des choix et à développer la coopération avec
les services entretien, qualité et contrôle de gestion.

Ainsi chez Amora, le passage du conditionnement manuel au conditionnement automatisé conduit par ordinateur s'est accompagné de la mise en place de tableaux de bord d'ateliers. Une formation de 1 000 heures pour certains, de 100 heures pour d'autres, fut menée en partenariat avec un centre d'enseignement professionnel avec à la clé l'acquisition d'une qualification plus élevée.

Le bilan des années 1980 chez BSN est contrasté. Beaucoup d'usines connurent une transformation profonde de leur mode de management. Dans d'autres, l'expression des salariés entérina l'état de la division du travail et des rapports hiérarchiques plutôt qu'elle ne les remit en cause. La crispation des relations sociales était le facteur de blocage le plus fort. Contrairement aux préjugés, l'expression montrait que l'âge et l'ancienneté des salariés n'étaient pas un obstacle lorsque le dialogue et la confiance étaient présents.

Le dialogue social avec les syndicats européens (1986)

Une initiative sociale importante et durable de BSN lors des années 1980 concerne le dialogue social international qui donna au groupe une position de pionnier dans ce domaine.

En 1985, Dan Gallin, secrétaire général de l'UITA, l'Union internationale des travailleurs de l'alimentation, invite Antoine Riboud par l'intermédiaire de la CFDT à venir présenter le groupe BSN aux responsables de son organisation.

Antoine Riboud répond favorablement à cette invitation. Il a en mémoire l'accord signé en 1975 avec les syndicats européens des sociétés du verre plat qui avait permis de renouer le dialogue social dans un contexte de crise. En avril 1986, il rencontre à Genève une quinzaine de responsables syndicaux affiliés à l'UITA pour leur expliquer la stratégie économique et sociale de BSN. À l'issue de cette rencontre, il accepte de poursuivre à titre expérimental ces relations sous la forme d'une rencontre annuelle.

Après deux années, la direction de BSN et l'UITA conviennent de poursuivre ce dialogue social et aussi de développer des initiatives coordonnées qui engagent toutes les sociétés de BSN en Europe. Les premiers thèmes sur lesquels ils décident de travailler ensemble concernent l'égalité professionnelle homme-femme (1989) et l'information économique et sociale du personnel et de ses représentants (1989). Par la suite ont été traités la formation qualifiante (1992) et l'exercice du droit syndical (1994).

Chacun de ces thèmes a fait l'objet de plates-formes élaborées par des enquêtes parallèles menées par l'UITA auprès de ses affiliés et par BSN auprès de ses filiales. Elles permettent de faire un constat de la situation et de dresser l'inventaire des améliorations souhaitées pour aboutir à des avis communs qui s'appliquent à toutes les sociétés européennes du Groupe.

Au fil des années, BSN et l'UITA dirigée par Ron Oswald ont ainsi construit ensemble une référence en matière de dialogue social dans les entreprises multinationales. À la question de savoir pourquoi BSN avait accepté ce dialogue à une époque où beaucoup d'entreprises y étaient tout à fait hostiles, Gabriel Bergououx, son principal animateur côté BSN, répondait :

> Nos marchés étant de plus en plus européens, il nous a paru nécessaire de situer aussi à ce niveau notre dialogue avec les organisations syndicales dans la perspective du marché unique de 1992.
>
> Nous croyons à BSN que l'une des conditions du dynamisme de l'entreprise est la qualité des relations qui existent avec les différents acteurs, dont le syndicat qui joue une fonction indispensable de contre-pouvoir.
>
> Nous sommes partisans d'une large confrontation avec les syndicats au niveau européen mais nous sommes persuadés que la négociation doit se situer

près des salariés si l'on veut tenir compte à la fois des besoins du personnel et des contraintes de l'entreprise.

5. Le rapport *Modernisation mode d'emploi* (1987)

En avril 1987, Antoine Riboud reçoit une lettre du Premier ministre Jacques Chirac lui demandant de conduire une mission d'analyse et de proposition sur les nouvelles technologies et leur impact sur le travail et sur l'emploi.

Sa première réaction est la surprise. Antoine Riboud, familier de François Mitterrand, n'avait pas de proximité avec Jacques Chirac. Il savait Édouard Balladur, son tout-puissant ministre des Finances, très proche de son vieil adversaire, Ambroise Roux. En pleine cohabitation, cette proposition ne masquait-elle pas des intentions cachées ? Toujours est-il qu'il accepta car le sujet l'intéressait, les équipes de BSN avaient accumulé une solide expérience et établir une relation avec le Premier ministre ne pouvait que servir l'intérêt de BSN.

La vérité fut connue beaucoup plus tard. Jacques Chirac voulait un patron réputé d'une grande entreprise privée, sachant qu'à l'époque beaucoup des grandes entreprises étaient encore nationalisées. Son cabinet n'en trouvait pas et c'est son jeune conseiller Antoine Durrleman, futur patron de l'ENA, qui avait proposé Antoine Riboud car il avait travaillé pendant son stage de l'ENA sur l'évaluation des chantiers d'innovation sociale de BSN.

Antoine Riboud désigna deux responsables pour coordonner l'étude : Philippe Lenain et Rose-Marie Van Lerberghe, qui avait été recrutée quelques mois avant pour succéder à Georges Egg dans la triple mission développement social, organisation et formation, et était auparavant sous-directrice à la délégation à l'emploi au ministère du Travail.

L'expérience de BSN servit de point de départ. Elle fut complétée et enrichie par de nombreuses rencontres avec des experts, des gens d'entreprises, des syndicalistes, menées par les cadres de BSN en France, aux États-Unis, en Allemagne, au Japon et en Suède.

La rédaction du rapport fut confiée à Lionel Zinsou, un jeune normalien récemment entré chez BSN, qui avait été conseiller de Laurent Fabius, alors Premier ministre.

La première partie du rapport est un plaidoyer en faveur des nouvelles technologies car « elles favorisent l'innovation des produits, font baisser le prix des

153

biens et libèrent ainsi du pouvoir d'achat. Au global, elles sont une chance pour l'emploi.

À l'inverse, le retard technologique entraîne la perte de parts de marché et crée du chômage ».

L'impératif des nouvelles technologies affirmé, le rapport aborde les conditions de leur mise en œuvre. Les principales propositions portent sur les sept axes suivants :

1. La transformation du travail

Le plus nouveau dans le changement technologique, ce n'est pas la technologie, c'est qu'il change le travail de l'homme du fait de la disparition graduelle du rapport de l'ouvrier à la matière travaillée. En conséquence, il faut constituer de nouveaux savoir-faire ouvriers plus abstraits, en conservant une continuité avec les pratiques professionnelles. Bien maîtrisée, la modernisation est rentable, mal maîtrisée, elle est ruineuse.

2. Une nouvelle productivité

La nouvelle productivité est globale, elle est tout entière dans la qualité du nouveau rapport homme-machine. Les hommes font la différence pour rentabiliser les nouvelles technologies.

3. Une conduite « enrichie » des projets industriels

Il n'est pas suffisant de choisir la bonne technologie ; il faut que l'entreprise se mobilise pour réussir chaque projet, c'est-à-dire repenser le travail en même temps que l'outil en associant les exploitants.

4. Des nouvelles organisations qualifiantes

Il faut pouvoir compter sur des salariés motivés qui s'adaptent au progrès technique et dans cette perspective mettre en place des organisations du travail qualifiantes et des formations adaptées, repenser le style de commandement.

5. L'information et la négociation

Il faut surmonter les antagonismes qui accompagnent le changement. L'information et la négociation sont les réponses pour créer une convergence entre la logique de l'entreprise et la logique de l'homme au travail et pour refuser les exclusions.

6. L'intéressement aux résultats

L'amélioration des résultats due à la productivité globale doit être partagée entre l'entreprise et ses salariés dans le cadre d'accords d'intéressement car la motivation des hommes est la condition de l'efficacité et de la rentabilité.

7. La mobilisation des entreprises sur la formation initiale

Il faut mettre en œuvre des formations qualifiantes, créer un dialogue permanent avec le système éducatif pour que ces formations soient reconnues et validées, accroître les effectifs en formation alternée dans les grandes entreprises.

Jacques Chirac remercia beaucoup Antoine Riboud mais on apprit que ses conseillers étaient déçus car il n'y avait rien qui puisse donner lieu à un projet de loi. Cette déception politique contrasta avec le grand intérêt que le rapport *Modernisation, mode d'emploi* suscita dans les entreprises et auprès du public concerné. Antoine Riboud souhaita que son rapport soit publié dans une collection de poche à un prix très accessible pour le grand public car il pensait que la pédagogie était une clé de la modernisation. Le livre fut vendu à près de 20 000 exemplaires.

5

Partage de l'emploi et 35 heures face à la montée du chômage (1992-1998)

1. Désillusions et montée du chômage

Dans les années 1980, la grande entreprise s'est trouvée investie de fortes attentes mais cette phase de réenchantement a tourné court rapidement. En 1989, une enquête de l'institut d'études Cofremca montrait que 62 % des salariés français considéraient que les intérêts des entreprises et ceux des salariés étaient divergents. L'analyse de ce résultat était que « les directions d'entreprises n'avaient pas été au rendez-vous des aspirations de leurs salariés qui avaient la perception d'un décalage croissant entre les politiques de rigueur salariale et de productivité et la croissance continue des bénéfices ».

L'idée d'un pacte social à l'allemande autour de l'acceptation de la productivité et de la compétitivité en contrepartie d'une amélioration des conditions de travail, de rémunération et d'employabilité n'arrivait pas à se concrétiser. Ce qui était possible dans certaines entreprises ne l'était pas au plan national où les relations entre les partenaires sociaux restaient dominées par la tradition de méfiance mutuelle.

À partir de 1991, le taux de chômage en France s'élève rapidement et dépasse pour la première fois 10 %. L'Europe est plongée dans la récession. Elle est amplifiée en France par le choix de la monnaie unique, qui conduit à préserver l'arrimage du franc au mark et en conséquence au refus de suivre en septembre 1992 les dévaluations de la lire, de la livre et de la peseta.

1993 est une année sombre. La France connaît la récession la plus forte depuis la guerre. 300 000 emplois sont détruits. Le chômage atteint 11,7 %, un niveau record. Dans les années 1970 et 1980, il touchait surtout les populations ouvrières, désormais il touche aussi la population des cadres et des employés.

Les désillusions à l'égard des grandes entreprises en bonne santé augmentent. Elles sont accusées de licencier et de se débarrasser du problème du chômage sur la société.

Début 1993, le débat sur le partage du travail est enclenché par le consultant Pierre Larrouturou dans une tribune publiée par le journal *Le Monde* proposant la semaine de 4 jours (33 heures sur 4 jours).

Sa thèse est simple, simpliste diront ses détracteurs.

La solution au chômage est de partager le travail. Seule une réduction massive de la durée du travail crée des emplois car les réductions graduelles sont absorbées par les gains de productivité. Il préconise la réduction du travail à 32 ou 33 heures, afin de créer environ 2 millions d'emplois qui seront financés en quelques années par les progrès de la productivité et une moindre progression du pouvoir d'achat. Les aides des pouvoirs publics, indispensables pour accompagner cette réduction, seront en partie compensées par une baisse du coût des indemnités chômage et l'augmentation des cotisations sociales.

2. Le tournant du projet 32 heures chez BSN (1993)

Antoine Riboud s'intéresse à cette thèse. Il est sensible au problème du chômage, il reste concerné comme à l'époque de Lip par les accusations d'impuissance et d'indifférence adressées aux grandes entreprises qui continuent de « prospérer dans un océan de pauvreté ». Il a envie de prendre une initiative sociale forte qui ait une nouvelle fois une valeur d'exemple et d'entraînement.

En interne, il a le soutien de plusieurs dirigeants motivés par l'idée que BSN agisse pour l'emploi : Philippe Lenain, directeur général adjoint du groupe ; Rose-Marie Van Lerberghe, devenue directrice générale des biscuits Alsacienne, pressentie pour devenir la DGRH du groupe ; Antoine Martin, l'ancien directeur général des relations humaines qui avait quitté BSN pour devenir président de l'ANPE, est revenu pour assurer quelques mois l'intérim de son ancienne fonction. Son expérience à l'ANPE l'a convaincu encore plus fortement de la nécessité de l'engagement des entreprises face au chômage. À l'extérieur, la CFDT, dirigée par Nicole Notat, le pousse à agir et du côté du ministère du Travail, BSN reçoit l'assurance que le gouvernement aidera fortement le groupe à montrer l'exemple en matière de partage du travail.

En juin, Antoine Riboud décide de lancer chez BSN une étude 32 heures à laquelle je contribue, coordonnée par Philippe Lenain et Antoine Martin. Des simulations du passage à 32 heures sont faites dans 5 usines appartenant à 5 sociétés différentes : Amora, Kronenbourg, Danone, LU et Evian. L'objectif est d'étudier l'impact sur l'emploi d'un passage à 32 heures, d'évaluer le coût brut de ce projet et les mesures possibles pour le réduire. Mi-juillet, le dossier est bouclé, les résultats pour BSN qui emploie 27 000 salariés en France sont les suivants : un solde net de 3 000 emplois avec 2 000 emplois non supprimés et 1 000 emplois créés, un coût susceptible d'être compensé par un freinage négocié des salaires, les subventions des pouvoirs publics et des gains de productivité. Dans la deuxième quinzaine de juillet, la négociation avec le ministère du Travail, qui a été associé dès le départ au projet, s'engage et débouche rapidement sur un accord.

Fin juillet, Antoine Riboud envoie une invitation à une réunion portant sur l'emploi chez BSN aux directeurs généraux des 18 sociétés françaises qui est prévue le 8 septembre au siège de Danone France à Levallois. Début août, toute l'équipe qui a travaillé sur le projet part en vacances persuadée que le 8 septembre, BSN va annoncer une négociation portant sur la mise en place des 32 heures dans l'ensemble des usines françaises du groupe.

Fin août, le climat est étrange, la rumeur dit que le projet 32 heures a du plomb dans l'aile. Antoine Riboud m'appelle, il teste auprès de quelques personnes le discours qui sera le signal du frein de la politique sociale de BSN pour de longues années.

En voici des extraits :

> Je lance des idées ambitieuses mais je suis capable de faire tous les rétros quand je vois le mur. C'est vrai, j'ai lancé, j'ai fait tester l'idée des 32 heures financées par de la modération salariale. Les simulations montrent que cela éviterait 2 000 suppressions de poste et permettrait de recruter 1 000 personnes.
>
> Je ne veux pas y aller dans la période actuelle. C'est clair et sans appel. Seul un accord au plan national négocié par l'État avec les syndicats pourrait mettre en œuvre une telle réduction. BSN ne peut pas être isolé, on se fera tirer dessus. Nous devons devenir des *low cost producers* sachant qu'avec l'intéressement en particulier, nous avons un surcoût de 30 % de notre masse salariale dans plusieurs sociétés par rapport à nos concurrents…

Même ceux qui connaissaient la réactivité d'Antoine Riboud sont surpris par la brutalité du ton. C'est une volte-face complète par rapport à son discours de juillet. La seule concession qu'il accepte est de mentionner que le renoncement aux 32 heures s'accompagnera d'un engagement important des sociétés de BSN pour utiliser les nouvelles dispositions sur les contrats d'apprentissage. Il précise également que les accords de partage du travail dans les usines restent négociables mais qu'ils devront impliquer un sacrifice de rémunération accepté par les salariés.

Que s'est-il passé dans le courant du mois d'août qui a provoqué un tel retournement d'Antoine Riboud ?

Philippe Lenain raconte :

> Antoine Riboud a poussé les 32 heures jusqu'à une réunion mémorable autour du 15 août. On a fait le point sur les résultats 93. Je lui annonce qu'ils ne seront pas aux objectifs. Il m'engueule en me reprochant de ne pas le lui avoir dit avant. On passe aux 32 heures. Je lui présente les résultats des simulations économiques. Avec les subventions de l'État, on a l'assurance que cela ne coûtera rien, sauf les coûts de mise en œuvre.
>
> Antoine me répond : « On ne fera rien, on ne prendra pas les risques d'une avancée sociale avec de mauvais résultats économiques. »

163

Les circonstances ont également joué.

Durant l'été, Antoine Riboud testait auprès de son conseil d'administration la possibilité de nommer son fils Franck, trente-huit ans, vice-président directeur général du groupe, en remplacement de Georges Lecallier qui allait partir à la retraite. Plusieurs interlocuteurs lui ont fortement déconseillé d'annoncer simultanément cette nomination contestée par certains et les 32 heures, ce qui conduisait à cumuler tous les risques en même temps.

La réunion de Levallois a bien eu lieu le 8 septembre avec les principaux dirigeants du groupe en France. Beaucoup étaient soulagés, quelques-uns furent déçus. Antoine Riboud annonça dans son discours la nomination de Rose-Marie Van Lerberghe comme directrice générale des relations humaines. C'était le grand écart. D'un côté un discours centré sur l'économique et la productivité, de l'autre la nomination d'une personne pour laquelle l'emploi était la finalité principale de la politique sociale.

Après le discours, Rose-Marie Van Lerberghe prit à part Antoine Riboud pour lui dire qu'elle ne souhaitait pas prendre le poste dans ce nouveau contexte. Celui-ci refusa son désistement et finalement la persuada d'accepter cette nomination.

Un environnement économique difficile, un président dont la priorité à soixante-quinze ans est de préparer sa succession : après le renoncement aux 32 heures la politique sociale a perdu son élan.

3. Le double projet face à la crise des années 1990

Quelques initiatives intéressantes en matière d'emplois furent néanmoins menées, impulsées par Rose-Marie Van Lerberghe qui a recruté à cette fin comme directrice de l'emploi et de la formation Muriel Pénicaud, ancienne conseiller technique dans le cabinet de Martine Aubry, ministre du Travail et de l'Emploi jusqu'aux élections perdues par la gauche de mars 1993.

Une politique volontariste est mise en place en matière d'apprentissage. L'objectif est fixé à chaque société du groupe en Europe d'accueillir des jeunes en formation à concurrence de 2 % de ses effectifs. Auparavant, le critère était les besoins propres à chaque société. En France, cela a conduit à doubler l'effectif des jeunes en apprentissage.

En 1994, BSN accepte d'être parmi les fondateurs de la Fondation Agir contre l'exclusion (FACE) créée par Martine Aubry et présidée par Antoine Guichard, président de Casino, en investissant 3 millions de francs aux côtés d'une dizaine d'autres grandes entreprises dont Axa, Casino, Pechiney, Lyonnaise des eaux ou Renault. La mission de la Fondation est de promouvoir des actions innovantes en matière de lutte contre l'exclusion et contre le chômage dans des territoires qui cumulent les handicaps, notamment les quartiers difficiles. BSN s'implique dans plusieurs projets. En particulier, Force Service en partenariat avec Casino. Il s'agit de créer des emplois destinés aux jeunes sans qualification pour gérer le réapprovisionnement des linéaires des hypermarchés en fin de semaine, moment où l'activité est la plus forte. Un autre projet fut les Poulets Minguettes, un concept de fastfood géré par les jeunes du quartier des Minguettes à côté de Lyon.

Mais à côté de ces initiatives, il n'est pas question de dégrader la compétitivité au nom de l'emploi car les sociétés de BSN souffrent dans un environnement économique menaçant.

Antoine Riboud martèle le message à la réunion des directeurs des relations humaines de juin 1994 à Evian.

> BSN est confrontée à des problèmes majeurs : la crise économique depuis 1992, des concurrents

quatre fois plus gros que nous comme Nestlé et Unilever et qui ont un meilleur équilibre en termes d'implantation internationale, la montée des marques 1er prix et un nouveau rapport de force en Europe avec les distributeurs qui tirent les prix vers le bas avec leurs marques.

Dans nos métiers, le low cost producteur est à nos portes en France, en Italie, en Espagne.

Si, pour des raisons morales ou pour ne pas aggraver la situation du chômage, nous refusons de devenir le producteur au meilleur prix de revient, nous perdrons nos parts de marché, nous serons conduits à fermer nos usines et à aggraver encore plus le chômage.

Nombreux sont ceux qui voudraient me voir prendre une position nationale sur le chômage. C'est impossible. Nous avons été originaux dans le passé en termes de politique sociale parce que nous avons été favorisés par la croissance. Aujourd'hui nous sommes attaqués sans croissance. Nous sommes en état de légitime défense. Nous faisons la guerre pour continuer à exister.

L'année suivante, en juin 1995, devant la même assemblée, Franck Riboud s'exprime pour la première fois sur la politique sociale du groupe en tant que vice-président-directeur général.

167

Il affirme la continuité du double projet :

Cette continuité repose sur deux piliers :
– La conviction que les hommes sont la source de la réussite économique des entreprises. C'est la base de nos programmes de formation, d'organisations qualifiantes, de participation du personnel et d'intéressement aux résultats.
– L'importance de préserver et de développer à tous les niveaux le dialogue social car il construit la confiance.

... Mais aussi sa nécessaire évolution qui porte sur deux domaines :

– L'internationalisation du groupe :
Comment devenir international au plan des hommes, du management, de l'organisation et de la culture ? Comment formuler un double projet qui ait du sens pour un Français, un Argentin, un Chinois ?
– La responsabilité à l'égard de la société :
Le double projet est centré sur les salariés. Faut-il intégrer plus l'environnement ? Jusqu'où faut-il aller ? L'entreprise a des responsabilités concernant ses salariés et son bassin de l'emploi.

Concernant l'emploi, il précise :

> Le groupe ne va pas créer de l'emploi en Europe occidentale dans les années qui viennent. Je ne suis pas d'accord avec ceux qui disent que le double projet perd son sens si on licencie. Le groupe n'a jamais garanti la sécurité de l'emploi. Il s'engage à aider les personnes touchées par les problèmes d'emploi. En amont, il faut maintenir et développer les compétences des gens pour leur permettre de conserver un maximum de chances s'ils devaient un jour rechercher un emploi.
>
> Par ailleurs, en tant que grande entreprise, nous avons des capacités de formation de jeunes nettement supérieures à nos capacités d'embauche.
>
> Je souhaite que nous contribuions, en priorité en Europe où le chômage est important, à développer les qualifications des jeunes et à les aider à trouver un emploi.

4. La rupture avec Martine Aubry et les 35 heures

Au cours des années 1993-1996, les restructurations se succèdent. Pour réduire les coûts de structure les sociétés sont fusionnées. Dans les biscuits, 4 sociétés sont regroupées pour former LU France. Il s'agit de Belin, LU, Alsacienne, et Vandamme. Dans les boissons, Volvic et Evian sont fusionnées. Dans les sauces, Amora avec Liebig et Maille, dans les pâtes, Panzani avec William Saurin, etc.

Ces fusions suppriment des centaines d'emplois dans les sièges, les forces de vente et la logistique, mais n'impactent pas les usines, contrairement à ce qui s'était passé au cours des années 1970 et 1980 où les restructurations avaient été supportées par les ouvriers.

L'exception est dans les produits laitiers frais chez Danone France. Un plan d'optimisation est décidé qui conduit en 1995 à la décision de fermer deux usines, à Strasbourg et à Seclin. Cette dernière commune fait partie de la circonscription électorale de Martine Aubry. Elle réagit très mal à cette décision à laquelle ont été associés des gens qui lui sont très proches comme Antoine Riboud ou Rose-Marie Van Lerberghe. Antoine Riboud la rencontre et prend l'engagement que Danone présentera un plan social exemplaire à Seclin et à Strasbourg en matière de reclassement et de création d'emplois.

Le 2 mai 1996, Antoine Riboud annonce sa retraite, laissant la présidence à Franck Riboud. Fin juillet, il est victime d'une hémorragie cérébrale, il

170

passe vingt jours à l'hôpital à moitié paralysé. C'est dans ces circonstances que la rupture avec Martine Aubry est consommée.

Il racontera plusieurs fois cette histoire.

> J'étais à l'hôpital, je regardais pour la première fois la télévision depuis trois semaines et je vois Martine Aubry interrogée sur les licenciements chez Michelin. Elle part dans une diatribe contre les entreprises prédatrices qui licencient alors qu'elles font des bénéfices élevés en citant Michelin... et Danone !

Pour Antoine Riboud, cette attaque contre Danone sur un dossier qui concerne Michelin de la part de quelqu'un qu'il avait beaucoup soutenu est vécue comme une ingratitude intolérable. Sa réaction est d'autant plus vive qu'il avait une réelle estime et affection pour elle.

Au-delà de la dimension affective de cette rupture, les acteurs exprimaient deux conceptions inconciliables par rapport à l'emploi.

Pour Antoine Riboud, depuis la tentative avortée des 32 heures, sa conviction était forgée : les grandes entreprises industrielles, soumises à une intense compétition, ne seront pas créatrices d'emploi. La productivité est un impératif. Il n'est pas possible de sacrifier l'activité de demain à l'emploi d'aujourd'hui.

Dans la nouvelle économie qui se dessinait, c'était le développement des services qui créait des emplois. Un moteur de ce développement était le dynamisme de grandes entreprises industrielles solides et conquérantes qui offraient des débouchés à ces entreprises de services.

Pour Martine Aubry, l'emploi devait être au cœur de la politique sociale des grandes entreprises prospères. Que même une entreprise réputée sociale comme Danone ne l'accepte pas a probablement pesé dans son choix d'imposer les 35 heures par la voie législative.

Le 10 août 1997, Lionel Jospin et Martine Aubry annoncent le dépôt d'une loi d'orientation générale fixant la durée légale à 35 heures au lieu de 39 pour les entreprises de plus de 20 salariés. Cette décision entraîne la démission immédiate de Jean Gandois, le président du MEDEF. C'est un ami d'Antoine Riboud avec qui il partage la même conviction sur la nécessité du dialogue social et la même opposition sur le passage en force par la loi.

Fin 1998, une simulation économique du passage à 35 heures est réalisée dans toutes les sociétés françaises du groupe Danone. Le coût estimé est de 3,84 % de la masse salariale alors que le coût théorique du passage de 39 à 35 heures est d'un peu plus de 10 %.

Cet écart s'explique par les gains de productivité attendus et par le fait que les horaires de référence dans les usines étaient en moyenne de 37 h 30 en raison des accords d'aménagement du temps de travail des années 1980 et de la 5e équipe. La négociation dans chaque société a permis des contreparties de rémunération et de flexibilité qui ont réduit le coût. Lors du bilan réalisé en 2002, le coût réel du passage à 35 heures chez Danone a été estimé à 1,65 % de la masse salariale.

De fait, les 35 heures ont eu un impact modéré pour les grandes entreprises industrielles dont l'horaire moyen avant la loi dans les usines était déjà autour de 37 heures.

Ce sont les sociétés de services travaillant 39 heures ou les services publics, tels les hôpitaux, qui furent les véritables perdants de la loi en termes de coût et de baisse de la qualité des prestations entraînée par la désorganisation consécutive à l'explosion des congés de récupération. Les RTT restent aujourd'hui le symbole de l'exception française pour les entreprises étrangères installées en France et un handicap psychologique pour attirer des investissements à forte teneur en emploi.

Lors de la crise économique des années 1970, BSN avait relevé le défi des restructurations en développant l'intéressement, en expérimentant les antennes emploi pour accompagner le reclassement des salariés et en créant le REAN pour attirer des activités de substitution. La crise économique des années 1990 n'a pas été une source d'initiative sociale. L'abandon du projet 32 heures en 1993 est un tournant d'autant plus marqué que l'importance de l'environnement français diminue pour BSN au fur et à mesure que l'entreprise devient chaque année un peu plus mondiale.

6

Le double projet à l'épreuve de la mondialisation (années 1990)

1. La conquête du monde

La chute du mur de Berlin en novembre 1989 ouvre de vastes espaces à l'économie de marché en Europe de l'Est, en Russie et dans de nombreux pays émergents notamment la Chine. C'est le point de départ du cycle de la mondialisation de l'économie des vingt-cinq dernières années.

Au cours des années 1990, les chefs d'entreprise français se lancent à la conquête du monde. En une douzaine d'années, plus de trente champions mondiaux se sont constitués. Aux quelques entreprises déjà bien implantées à l'international comme Air Liquide, Michelin, L'Oréal ou Total, se joignirent à coups d'acquisitions, fusions et d'implantations, une grande partie des entreprises composant le CAC 40 : Accor, Airbus, Axa, Carrefour, Danone, Essilor, GDF-Suez, Kering, Lafarge, LVMH, Pernod-Ricard, Publicis, Renault-Nissan, Saint-Gobain, Sanofi, Schneider, Veolia, etc.

Face à ce succès collectif, un seul échec flagrant : Pechiney racheté par Alcan puis dépecé.

La France est le pays de l'OCDE où le plus grand nombre de champions internationaux ont émergé dans la période allant du début des années 1990 au milieu des années 2000. Cet esprit de conquête des entreprises françaises contraste avec la « France en déclin » décrite par certains à la même époque. Travailler à l'échelle du monde change le regard des dirigeants. Tournés vers la conquête, ils ont tendance à relativiser les enjeux de leur pays d'origine si ce n'est à s'en désintéresser. Nicole Notat[1] parle de l'effet dopant de la mondialisation sur les dirigeants d'entreprise. « Ils sont emportés par une indéniable griserie pour rester dans la course et relever le défi de la conquête du monde. »

---

1. Nicole Notat avec Hervé Hamon, *Je voudrais vous dire*, Seuil – 1997.

Au cours des années 1990, Danone va devenir mondial dans le cadre de la stratégie initiée par Antoine Riboud et amplifiée par son successeur Franck Riboud. L'évolution des effectifs du groupe illustre cette mutation.

En 1991, BSN employait 60 000 personnes qui se répartissaient entre la France (45 %), l'Europe de l'Ouest (48 %) et l'international (7 %).

En 2002, Danone, le nouveau nom de BSN, employait 100 000 personnes : 12 % en France, 13 % en Europe de l'Ouest et 75 % à l'international (dont 40 % en Asie).

Le passage d'un groupe centré sur l'Europe occidentale à un groupe mondial crée de multiples défis au plan du management, de la culture et de la politique sociale. Son accouchement sera le résultat d'un long apprentissage caractérisé par des tensions récurrentes.

2. Un nouveau président : Franck Riboud (1996)

Franck Riboud succède à son père le 2 mai 1996. Son arrivée suit de près le changement de nom du groupe qui a lieu en juin 1994. Antoine

Riboud avait jugé que le groupe devait avoir un nom porteur d'une notoriété conforme à ses ambitions mondiales. BSN, très connu en France, était inconnu hors de France. Danone déjà acheté par des millions de consommateurs dans 46 pays s'imposait logiquement avec son image évocatrice de santé. En décidant lui-même de changer le nom, il évitait à son fils d'avoir à prendre une décision difficile. En effet, le nouveau nom faisait disparaître les racines lyonnaises et familiales du groupe qu'il avait créé, symbolisées par Eugène Souchon et Marie Neuvesel, le grand-oncle et la grand-tante d'Antoine Riboud, les S et N de BSN.

L'accession de Franck Riboud, à quarante et un ans, à la présidence de Danone n'allait pas de soi. Un jour de 1988, Pierre Bonnet, le patron des activités épicerie chez BSN, dit à Antoine : « Tu sais, ton fils, il est vraiment bon. » Franck Riboud était entré en 1980 chez Panzani au contrôle de gestion. En 1988, il était directeur des ventes chez Heudebert. Il est le dernier enfant d'Antoine Riboud, celui que son père connaît le moins bien car depuis la création de BSN en 1966, il est le plus souvent à Paris alors que sa famille est restée à Lyon. Pierre Bonnet, c'est un professionnel très respecté, un dur, un autodidacte qui a commencé comme vendeur sur le terrain. Son jugement a du poids. Jusque-là, Antoine Riboud avait suivi de loin le parcours professionnel de son fils. Il décide de le tester.

Il le nomme responsable de l'intégration des sociétés de Nabisco en Europe (France, Grande-Bretagne, Italie, Espagne) suite à leur acquisition en 1989, puis en 1990 directeur général d'Evian. En 1992, il lui confie la direction de la stratégie et du développement et en 1994, il succède à Georges Lecallier comme vice-président exécutif du groupe.

Franck Riboud a fait un sans-faute mais il n'a pas non plus construit un capital de crédibilité important ni en interne, où l'accélération de sa carrière a suscité des jalousies, ni à l'extérieur, où Antoine Riboud est critiqué pour imposer son fils comme successeur, sachant qu'à la différence des Michelin, Lagardère, Ricard ou Bouygues, il n'a pas la légitimité du capital.

Il a bénéficié du soutien des deux principaux actionnaires de Danone et amis fidèles de son père, Michel David-Weill, président de Lazard et vice-président de Danone et Daniel Carasso, fondateur de Danone en France et aux États-Unis et président honoraire du groupe, qu'il considérera jusqu'à sa mort en 2009, à l'âge de cent quatre ans, un peu comme un deuxième père.

3. Nouvelle stratégie (1996)

Franck Riboud devient président dans un contexte difficile. Sa légitimité est fragile alors que depuis la crise économique de 1993, le groupe est confronté à de sérieuses difficultés. Pour toutes les entreprises de grande consommation, le 2 avril 1993 est une date sombre. L'action de Philip Morris baisse de 26 % suite à l'annonce que la société avait réduit de 20 % les prix de Marlboro, sa marque vedette. Le lendemain, les actions de toutes les sociétés fondées sur des grandes marques baissent, en tête celles de Coca-Cola, la plus forte marque mondiale qui baisse également de 26 %. BSN est très concerné par cette menace : dans un contexte de vigilance croissante des consommateurs sur la *value for money*, les marques sont-elles assez fortes pour résister à la montée des marques distributeurs et des marques génériques ? Pour atténuer la pression de la grande distribution, la voie privilégiée par Antoine Riboud est d'engager très vite BSN dans la conquête des pays de l'Est, de la Russie et de la Chine. Mais cette stratégie internationale coûte cher et, dans un premier temps, pèse sur la rentabilité. Le cours de bourse qui passe de 19 à 13 euros entre mars 1992 et fin 1996 reflète ces incertitudes. Il est clair que la stratégie du groupe doit être renouvelée. Danone ne peut pas être à la fois mondial et présent dans autant de métiers, il ne peut pas défendre autant de fronts en même temps face à la concurrence et à la montée des marques distributeurs.

Fin 1996, Franck Riboud annonce la stratégie de recentrage. Danone va concentrer ses ressources là où le potentiel de croissance est le plus fort et là où ses atouts sont les meilleurs notamment en terme de notoriété de ses marques à l'international. En conséquence, le groupe se recentre sur trois métiers : les produits laitiers frais avec la marque Danone, l'eau avec les marques Evian et Volvic, et les biscuits avec la marque LU. Toutes les autres activités ont vocation à être vendues. Ainsi dans les années qui suivent, seront cédés : les pâtes, les plats cuisinés, les sauces, la bière, le verre d'emballage et les fromages italiens (Galbani). Ces entreprises cédées représentent un peu plus de 50 % du chiffre d'affaires du groupe de 1996. Une seule activité reste en suspens, l'alimentation infantile avec Blédina, qui garde de forts défenseurs chez Danone, en raison des qualités exceptionnelles de cette entreprise, notamment dans le domaine de l'innovation.

4. Nouvelle équipe dirigeante et choc des cultures

La nouvelle stratégie s'accompagne d'un renouvellement complet de l'équipe dirigeante. Les vieux compagnons d'Antoine Riboud partent à la retraite : Philippe Lenain, qui a succédé à Franck Riboud comme n° 2 du groupe, Christian Laubie, le directeur général des affaires financières depuis vingt ans, l'équivalent de Jean-Léon Donnadieu, côté finance, ainsi que les grands barons, anciens compagnons de son père comme Jacques Demarty, patron de l'emballage, Geoffroy Pinoncely, patron de l'épicerie, Maurice de Kervenoael, patron des boissons et Philippe Jaeckin, patron des biscuits.

La relève n'est pas assurée par les représentants de l'élite à la française issue des grandes écoles, qui quittent également le groupe pour faire de brillantes carrières ailleurs : Michel Cicurel, Henri Giscard d'Estaing, Rose-Marie Van Lerberghe, Lionel Zinsou.

L'expérience internationale devient le critère principal d'accès aux fonctions dirigeantes.

Le nouveau n° 2 est Jacques Vincent, qui a dirigé les filiales de Danone en Allemagne, en Italie et aux États-Unis. Les autres patrons sont des dirigeants recrutés à l'extérieur ayant réalisé des parcours internationaux chez Procter, Unilever, Coca-Cola, Pepsi, Kellogg's ou Kraft.

Les dirigeants changent mais aussi la culture de management de l'entreprise. La création de valeur pour l'actionnaire devient un critère essentiel de la stratégie. Cette culture centrée sur la délivrance des résultats est compatible avec le double projet aussi longtemps que les résultats annoncés sont réalisés. Mais lorsque ce n'est pas le cas, les contradictions entre le discours sur le double projet et celui sur la rémunération de l'actionnaire sont une réalité difficile à concilier.

Un autre pilier de la culture est remis en cause : le modèle BSN d'organisation, à l'œuvre depuis le début des années 1970. Son credo était la décentralisation opérationnelle. Le groupe définissait la stratégie et centralisait l'allocation des ressources financières mais il laissait aux équipes de direction des sociétés filiales une très large autonomie en matière de gestion opérationnelle. Par exemple, chaque société décidait de sa stratégie innovation produits, de sa publicité ou encore de presque tous ses achats. Ce modèle favorisait une culture de responsabilisation très forte des équipes de management. À l'inverse, il tirait mal parti de la taille du groupe.

Le changement est introduit par Jan Bennink, le nouveau patron de la division des produits laitiers frais. Il déplore que les relations entre les sociétés de sa division soient quasiment inexistantes. Ainsi, le succès d'un nouveau produit dans un pays est rarement exploité ailleurs et s'il l'est, c'est très lentement, ce qui donne à la concurrence le temps de réagir. Le cas se présente avec Actimel, un nouveau produit qui connaît un succès remarquable en Belgique mais qui est refusé dans les autres pays d'Europe en raison de sa « belgitude ». Jan Bennink impose aux pays de le tester tel quel et c'est un succès partout. Tirant parti de ce succès, il met en œuvre des relations transversales fondées sur le partage des innovations et des bonnes pratiques sur les marques piliers : Activia, Actimel… Le nouveau modèle apporte une dynamique remarquable à la division produits frais.

Un autre principe est mis en cause : celui de la promotion interne pour l'accès aux postes de direction. Danone, en pleine phase d'accélération de son internationalisation, est confronté à une pénurie de managers internationaux. Pour répondre aux besoins, les nouveaux dirigeants du groupe demandent à s'entourer de « talents », concept flou qui se traduit dans les faits par le recrutement de managers qui leur ressemblent. Ils préfèrent rechercher à l'extérieur des personnes qui ont un parcours international réussi dans un groupe international de produits de grande consommation, plutôt que de recycler les managers du groupe présents dans les sociétés de l'épicerie ou de la bière en cours de cession.

Cet afflux de « talents » extérieurs génère du malaise et de la résistance chez les Danone historiques qui restent la grande majorité.

5. Les valeurs Danone entre discours et réalité (1997)

Franck Riboud est conscient que l'accumulation des changements (nouveau nom, nouveau président, nouvelle équipe dirigeante, recentrage et mondialisation) a perturbé la cohésion de l'entreprise et menace de diluer la personnalité de Danone. Il décide de lancer le projet « valeurs Danone » conseillé par le publicitaire Jean-Pierre Villaret. L'objectif : créer une identité corporate Danone qui soit source de cohésion interne, d'attrait pour les talents extérieurs, de confiance des consommateurs vis-à-vis des marques et plus largement d'une bonne image institutionnelle. Comment ? En affirmant des valeurs fortes et originales qui sous-tendent l'identité de Danone et s'appuient sur l'héritage de BSN.

Un processus reposant sur la consultation d'une centaine de managers dans le monde et de nombreux échanges débouchent sur la définition de trois valeurs : l'humanisme, l'ouverture et l'enthousiasme. Ces valeurs sont volontairement décalées par rapport aux valeurs affichées par les entreprises anglo-saxonnes le plus souvent centrées sur l'excellence professionnelle, la qualité, les clients et l'innovation. Les valeurs de Danone s'inscrivent plutôt dans le champ de l'idéal, notamment l'humanisme. Cette valeur qui fait le lien avec le double projet est l'objet d'un débat. Certains craignent le caractère contraignant de cet engagement dans une entreprise qui affirme la nécessité de rationaliser en permanence ses structures et qui s'apprête à céder la moitié de ses activités. Ce débat rebondira quelques années plus tard avec la restructuration de LU.

L'ouverture et l'enthousiasme sont ressortis des entretiens comme l'expression d'une culture déjà présente dans l'entreprise et qu'il conviendrait de développer partout. L'ouverture est définie comme la curiosité, l'agilité et la proximité. Proximité qui deviendra quelques années plus tard la quatrième valeur de Danone, tant elle a de sens vis-à-vis des salariés, des consommateurs, des fournisseurs et de l'environnement.

L'enthousiasme, c'est l'audace, celle du petit qui s'invite à la cour des géants, l'appétit de grandir, la passion. Dans la première version l'enthousiasme était intitulé latinité. Ce mot latinité était mentionné dans les entretiens en France, en Espagne, en Italie et en Amérique du Sud avec une connotation très positive. Mais lorsqu'il fut testé auprès des Allemands et des Hollandais, ceux-ci ne comprenaient pas qu'une entreprise puisse se vanter d'être latine. Quant aux Asiatiques, malgré de longues explications, ils n'arrivaient pas à comprendre le sens du mot latinité. Les valeurs seront dans la durée un moteur de la cohésion de Danone mais, dans les premières années de leur mise en œuvre, elles n'apportent pas une réponse à la dimension du malaise ressenti.

Jean-René Buisson, le nouveau directeur général des ressources humaines, ancien patron de Kronenbourg, est conscient du problème. Il demande à Laurent Sacchi, directeur de la communication interne, et à moi de mener une étude. Début 1998, nous rencontrons quarante cadres dirigeants, les résultats sont contrastés.

La stratégie du recentrage combinée avec la stratégie d'accélération du développement international fait l'objet d'une forte adhésion. Le fonctionnement transversal est jugé comme un progrès, sous réserve

qu'il préserve l'esprit entrepreneur et une forte autonomie opérationnelle.

À l'inverse, le recours massif à des managers extérieurs génère un sentiment de discrimination chez
ceux qui sont issus de Danone.

> Il y a les nouveaux, l'élite world class, qui bénéfi-
> cient des meilleurs salaires, de golden parachute et
> nous fidèles au groupe qui sommes bons à jeter.

Les nouveaux sont également accusés de vouloir
normaliser le groupe selon les valeurs anglo-saxonnes,
de moins porter la culture humaniste et le double
projet hérités de BSN :

> Le double projet, c'était l'attention portée à tout
> le personnel. Aujourd'hui il a dérivé, il est centré
> sur les managers.
> On en parle beaucoup, on ne le fait pas assez, on
> a été rattrapés.

Néanmoins, beaucoup, y compris parmi les plus
critiques, reconnaissent que Danone avait besoin de
sang neuf et d'une révolution culturelle pour relever
les défis de la mondialisation.

Une convention ressources humaines a lieu en
Sardaigne à Cagliari, en mai 1998. Elle réunit les

450 managers de la fonction ressources humaines dans le monde.

Franck Riboud décide de mettre les points sur les i.

> Danone conservera une culture propre qui ne sera ni celle d'Unilever, ni celle de Procter ou d'autres…
>
> Le recours à l'extérieur pour pourvoir certains postes-clés est un phénomène que nous voulons transitoire. Lorsque nous recrutons un cadre dirigeant, le plus important pour moi est de savoir s'il partage nos valeurs.
>
> La centralisation doit rester l'exception, notre modèle, c'est l'animation des réseaux transversaux, ce n'est pas l'entreprise centralisée.

Dans la foulée, le groupe s'engage à pourvoir en interne dans un délai de trois ans 80 % des postes de comité de direction et donc à réduire fortement le recrutement extérieur.

Il décide également de mettre en œuvre une enquête auprès des 8 000 managers du groupe tous les deux ans, qui porte sur la stratégie, le management et les politiques ressources humaines. La première a lieu en 1999. Concernant les valeurs Danone, les résultats sont les suivants :

Connaissez-vous les valeurs Danone ? Oui : 23 % ; un peu : 50 % ; non : 28 %. Parmi ceux qui répondent oui, 72 % les jugent motivantes mais seulement 42 % considèrent qu'elles sont mises en œuvre. Ces résultats donneront lieu à un vigoureux coup d'accélérateur pour promouvoir la pratique des valeurs Danone !

6. La Danone World Cup (1998)

En 1997, les pouvoirs publics sollicitent Danone pour que l'entreprise soit sponsor de la Coupe du monde de football. Franck Riboud décide d'accepter à la condition que cet engagement soit l'opportunité d'associer les salariés à la fête du Mondial. L'idée est alors de créer une coupe du monde interne à Danone : la Danone World Cup. En quelques mois une compétition est organisée dans vingt-huit pays où Danone est implantée, 8 000 salariés participent aux rencontres. La finale a lieu en juin 1998 à Paris au stade Jean Bouin avec les équipes finalistes masculines et féminines de chaque pays, soit 300 joueurs au total. Suite à ce grand succès, il est décidé que la Danone World Cup aura lieu tous les deux ans, et qu'en parallèle une Danone Nations

Cup sera organisée pour les enfants de moins de treize ans qui jouent dans les équipes benjamines des clubs professionnels à raison d'un club par pays. Quelques années plus tard, Zidane accepte de devenir le parrain de ces deux événements. En 2011, 12 000 salariés de soixante-dix pays ont participé à la Danone World Cup et la finale a réuni 800 joueurs au Japon. Dans les enquêtes internes, elle est systématiquement mentionnée comme un des principaux symboles de la réalité des valeurs et de la culture Danone.

Cela montre qu'une entreprise est crédible lorsque ses initiatives s'adressent à tout le personnel et pas à une élite privilégiée. Face aux forces centrifuges de la mondialisation, la Danone World Cup a été et reste un moment de cohésion et de convivialité dans l'univers de Danone.

7. Le social à l'épreuve de la mondialisation

Une victime collatérale de la mondialisation est l'affaiblissement du poids des ouvriers de l'Europe occidentale.

Dans les années 1970, les usines étaient au cœur des enjeux des entreprises car les comportements productifs autant qu'anti-productifs (absentéisme, turn-over, freinage, conflit) étaient le facteur clé des coûts et de la qualité de la production. Dans les années 1980, l'usine reste le lieu essentiel de la compétitivité avec l'introduction massive des nouvelles technologies et l'enjeu des compétences. Dans les années 1990, la situation change : la priorité est à la conquête de nouveaux marchés.

La compétitivité par les coûts change d'échelle avec la concurrence des pays à bas salaire. Le recours à la sous-traitance, à l'externalisation ou à la délocalisation des productions réduit le poids des usines. En matière sociale, la comparaison avec les pays émergents crée un contexte défavorable pour les revendications des salariés bénéficiant de statuts sociaux avantageux.

L'amélioration de la mutuelle ou la baisse de la durée du travail à 35 heures sont ressenties comme des demandes de « riches » lorsque, dans les usines en Pologne, il n'y a aucune couverture maladie pour les salariés ou que, dans les centres d'embouteillage en Chine, les salariés travaillent 12 heures par jour.

Toutes ces menaces réduisent le pouvoir de négociation des syndicats alors que le chômage bat des records. Jacques Julliard[1] décrit ainsi le déclin du pouvoir de la classe ouvrière :

---

1. Jacques Julliard, *La Faute aux élites*, Gallimard – 1997.

Privés de leur mission historique, les ouvriers prolétaires redevenaient des pauvres, des objets de sollicitude et de solidarité mais non des sujets de l'histoire. Du coup, ils n'intéressaient plus personne.

Au sein de Danone, la vision ouvriériste de la politique sociale est jugée dépassée par beaucoup des nouveaux dirigeants. Je demandais à l'un d'eux ce qui l'étonnait le plus dans la culture de Danone, il m'a répondu : « C'est sa culture sociale. Chez Kellogg's, quand je faisais chaque année le budget avec les filiales, seuls le directeur général et les directeurs financiers et marketing participaient. Chez Danone, nous passons beaucoup de temps sur les questions industrielles et sociales avec le DRH et le directeur industriel. »

Ce n'était pas une critique, seulement un constat. Il exprimait le point de vue partagé par beaucoup de dirigeants selon lequel la gestion financière et les stratégies marketing étaient prioritaires et devaient être traitées en direct avec le groupe, alors que les questions sociales et de production pouvaient être traitées localement.

Au slogan des années 1980 : « Ce sont les hommes qui font la différence », ils répondaient : « attirer, développer, et retenir les talents », c'est-à-dire se concentrer sur la gestion des managers internationaux dont le groupe a besoin pour accompagner son développement. En termes de culture d'entreprise, c'est une différence fondamentale. Dans la première conception, tous les salariés sont des « citoyens » de l'entreprise, même si les statuts diffèrent. Dans l'autre conception, il y a d'un côté l'élite, les managers mobiles qui sont les talents, et de l'autre, le personnel local. Selon cette logique, 95 % des salariés pouvaient être gérés localement par les sociétés filiales sans supervision du groupe.

Franck Riboud comprend les risques d'une gestion sociale qui reposerait sur la bonne volonté des directions locales. Une telle approche serait en contradiction avec les valeurs Danone et les engagements signés avec l'UITA sur des thèmes comme la sécurité du travail ou le respect des droits sociaux et syndicaux. Cependant, son discours sur un « double projet » qui ait du sens pour tout le personnel, qu'il soit espagnol, français, argentin, indonésien ou polonais, est loin d'être la réalité en Asie ou dans les Amériques.

Ces considérations ont conduit à définir une plate-forme sociale mondiale avec le souci d'éviter deux écueils :

– rester prisonnier d'une vision franco-européenne des relations sociales ignorant les contextes locaux ;
– à l'inverse, prendre prétexte de la diversité des contextes locaux pour s'affranchir du double projet et des accords UITA.

Cette plateforme définit des principes mondiaux sur quatre thèmes : la sécurité et les conditions de travail, la reconnaissance des représentants du personnel et le dialogue social, l'association du personnel aux résultats économiques, l'emploi et l'accompagnement des plans de restructuration.

Ces engagements sont un réel progrès pour les salariés d'Europe de l'Est, d'Amérique latine ou d'Asie dans les domaines de l'emploi et de la formation, de la protection contre la maladie et l'invalidité… Un axe fort est la priorité donnée à la sécurité du travail, qui débouchera quelques années plus tard sur le programme Wise qui est devenu un des fondamentaux du management Danone partout dans le monde.

Dans les années 1990, la politique sociale de Danone progresse à l'international, mais en France, l'entreprise n'est plus en pointe.

Elle perd au fil des années l'image d'entreprise sociale de référence qu'elle avait acquise dans les années 1970 et 1980.

8. Le dialogue social international avec l'UITA

Un domaine où Danone reste pionnier est les relations avec les syndicats internationaux.

Franck Riboud a hérité de son père une attitude favorable à l'égard des syndicats, et lorsque l'UITA propose une initiative sur l'emploi, il accepte d'ouvrir la discussion.

Danone est le premier groupe à signer, en mai 1997, un avis commun sur l'emploi qui stipule la consultation préventive des organisations syndicales en cas de modification significative affectant l'emploi ainsi que la mise en place de structures d'aide au reclassement. Un tel engagement acquis depuis vingt ans en France est une avancée sociale importante dans la plupart des pays, y compris ceux d'Europe occidentale.

En septembre 1998, Ron Oswald, le secrétaire général de l'UITA, est invité à la réunion annuelle des directeurs généraux du groupe qui réunit environ 150 participants à Evian. Il centre son intervention sur les bénéfices du dialogue social avec les syndicats pour une entreprise internationale, face à un auditoire qu'il sait partagé sur cette question.

Un dialogue social constructif permet de discuter les changements qui sont nécessaires ; nos affiliés et l'UITA ne diront jamais que les changements ne sont pas nécessaires, mais qu'il faut discuter ces changements.

Ma conviction est que les discussions vous éviteront d'avoir des difficultés sociales et économiques qui peuvent devenir importantes, et je vous le dis franchement, mon travail est de garantir que vous aurez ces difficultés économiques si vous menez des politiques sociales négatives. Vous devez être conscients qu'il y a des avantages non seulement sociaux, mais aussi économiques d'avoir une politique sociale positive.

Je pense aussi que, parfois, cela peut résoudre des conflits avant qu'ils ne deviennent des conflits importants ; on a des exemples chez vous, mais aussi ailleurs, où l'intervention de nos affiliés ou de l'UITA évite qu'un problème devienne trop important. Nous ne voulons pas de gros problèmes pour nos affiliés si on peut les éviter. Les gens ne veulent pas se mettre en grève pour une broutille. L'UITA est aussi une organisation qui a un rôle politique dans le monde. Nous avons la conviction que sans une politique sociale correcte et stable, il ne peut pas y avoir une politique économique qui tienne le coup, en particulier dans des zones comme l'Asie et l'Amérique latine.

> Les accords que nous avons avec Danone font partie pour nous d'un projet social micro qui se concentre sur Danone, et aussi d'un projet macro, c'est-à-dire qu'ils sont un exemple de relations sociales qui peuvent s'établir entre l'UITA et les entreprises internationales comme Danone.

L'Europe centrale illustre bien cette idée d'exemplarité. Au milieu des années 1990, Danone a renouvelé complètement la représentation des salariés dans les sociétés de biscuits et de produits laitiers acquises dans les pays de la région. Les syndicalistes issus de l'appareil communiste et discrédités auprès des salariés ont été remplacés par de nouveaux représentants choisis et élus par le personnel. Ce processus a été conduit par le DRH de l'Europe de l'Est, Jean-Jacques Doeblin, en concertation avec les syndicats affiliés à l'UITA. Cette démarche a été une référence pour inciter d'autres entreprises internationales à créer les conditions d'un dialogue social en Pologne, Hongrie, Tchéquie...

Les choses furent plus difficiles aux États-Unis au milieu des années 2000. Dannon US avait deux usines, l'une à Fort Worth (Texas) avec un personnel syndiqué aux Teamsters, l'autre à Minster (Ohio) où le personnel était non syndiqué. Cette usine était à l'époque la plus grande usine de yaourts du monde en volume de production. Elle employait 400 personnes.

Au nom des accords signés, l'UITA demandait que le personnel de Minster soit syndiqué.

La direction de Dannon US répondait : « Pas de problème, nous appliquerons la loi américaine qui stipule que le syndicat demande un vote des salariés et s'il obtient la majorité, l'usine sera syndiquée. » En fait, l'UITA demandait non seulement un vote mais aussi que la direction de Dannon US exprime clairement qu'elle n'était pas opposée à la présence d'un syndicat à l'usine de Minster car, dans le cas contraire, le syndicat avait très peu de chances d'obtenir la majorité.

Or, la direction de Dannon US, comme beaucoup de sociétés aux États-Unis, était opposée à la présence d'un syndicat. Elle estimait que l'existence du syndicat allait créer des tensions dans l'usine entre ses partisans et ses adversaires et pénaliser sa compétitivité, car les délégués exigeraient des mesures qui seraient des freins à la flexibilité et à la polyvalence des emplois. Face à la pression du groupe, Dannon US expliquait que les managers de leur société culturellement très Amérique profonde (Ohio et Texas) verraient d'un très mauvais œil l'intrusion de Français dans leurs affaires sur un sujet qu'ils considéraient comme local.

L'UITA, poussée par un de ses syndicats américains affiliés, le « BCTGM », mettait chaque année plus de pression lors de la réunion annuelle de Genève co-présidée par Franck Riboud et Ron Oswald. Jacques Gourmelon, directeur des affaires sociales du groupe, fut chargé d'un audit. Il alla sur place à Minster et se rendit compte que la direction de l'usine était prête à accepter la présence d'un syndicat, contrairement à la direction de la société. Elle soulignait que la croissance très rapide de l'usine avait créé des tensions et qu'elle manquait d'interlocuteurs représentatifs pour négocier un contrat collectif. Cela entraînait dans le traitement des salariés de fortes hétérogénéités selon les ateliers qui étaient source de tensions. L'opposition au syndicat était surtout le fait du DRH américain de Dannon US, dont la culture antisyndicale avait influencé son directeur général, un Argentin peu au fait des relations sociales américaines.

Un vote fut organisé, l'entreprise affirmant sa neutralité vis-à-vis de la création d'un syndicat. Celui-ci obtint la majorité requise. Le DRH démissionna. Un contrat de travail fut négocié et Minster resta une usine compétitive. Dans la foulée, la nouvelle usine de West Jordan dans l'Utah qui avait démarré sans syndicat devint syndiquée.

9. Danone Way (2001)

La plateforme sociale mondiale mise en œuvre en 1998 a vite montré des limites. La démarche est peu contraignante et son appropriation sur le terrain est faible. De plus cette réponse n'est pas à la mesure des critiques contre la mondialisation libérale qui ont pris une ampleur nouvelle suite au succès de la manifestation à Seattle de décembre 1999, en marge de la réunion de l'Organisation mondiale du commerce.

Bernard Giraud, le nouveau Directeur Responsabilité sociale du groupe Danone, est chargé de proposer un dispositif qui assure la mise en œuvre effective des principes et des politiques du groupe en matière de responsabilité sociale dans les sociétés filiales, tout en tenant compte du contexte local dans lequel elles opèrent. Auparavant délégué général de la Datar pour les États-Unis, il a créé la fonction Responsabilité sociale chez Danone. Il sera tout au long des années 2000 un acteur majeur des initiatives sociales du groupe et du partenariat avec les ONG et les organisations internationales.

Il propose Danone Way, une démarche qui englobe toutes les dimensions de la responsabilité sociale et qui repose sur l'engagement des sociétés locales. L'idée clé est de dissocier les principes globaux, qui constituent le référentiel commun, et la mise en œuvre locale.

Jean-René Buisson présente ainsi la nouvelle démarche lors de la convention monde des DRH d'octobre 2000 à Los Angeles :

> Le projet Danone Way est né d'une double nécessité :
> • Nécessité interne de réaffirmer ce qu'est notre conception de l'entreprise, notre projet afin qu'un maximum de managers en soient porteurs.
> Nous observons une certaine perte des repères au sein du groupe. Des managers nous interrogent pour savoir ce qu'est le projet Danone, ce qui est Danone et ce qui ne l'est pas...
> Le « modèle d'entreprise » et les bonnes pratiques Danone se sont diffusés « assez naturellement » lorsque le périmètre du groupe était pour l'essentiel européen, et où les managers se connaissaient et se côtoyaient.
> La mondialisation du groupe et son développement dans des contextes sociaux très variés, l'intégration de nouvelles sociétés ayant une histoire et une culture différentes, le nombre de nouveaux managers qui ont rejoint le groupe, tous ces facteurs peuvent conduire à une perte d'identité du groupe si nous n'agissons pas.

• Nécessité vis-à-vis de l'externe aussi :
Danone Way doit aussi nous aider à construire
et protéger la réputation du groupe Danone et de
ses marques. Depuis quelques années, nous obser-
vons la formidable accélération d'un phénomène :
celui du niveau d'exigence à l'égard des grandes
entreprises. Les entreprises ne sont plus jugées
uniquement sur leurs résultats économiques. Les
grandes marques se trouvent sous le feu croisé des
jugements des consommateurs, des analystes, des
médias, des ONG, etc.

Qu'il s'agisse de sécurité alimentaire, de respect
des droits de l'homme ou d'atteinte des résultats
promis, la réputation de l'entreprise est devenue
un enjeu stratégique majeur. Signe révélateur, Dow
Jones a créé le Dow Jones Sustainability Index
qui est une sélection, parmi les plus fortes capita-
lisations boursières mondiales, des entreprises qui
ont le mieux intégré cette dimension dans leur
stratégie et leur management. Le groupe Danone
vient d'être sélectionné.

La démarche Danone Way

C'est un cadre de référence commun à toutes les
sociétés Danone dans le monde qui traduit les principes
du groupe en comportements concrets et mesurables

dans tous les domaines où la responsabilité de l'entreprise est engagée. Danone Way ne fixe pas des normes, il définit des parcours de progression dans chacun de ces domaines.

Il s'applique à l'ensemble des parties prenantes : salariés, clients, consommateurs, fournisseurs, environnement, communautés locales et actionnaires. Dans sa première version, il consistait en une centaine de pratiques. Depuis l'évaluation a été concentrée sur 16 fondamentaux et 60 indicateurs répartis en cinq chapitres : droits humains, relations humaines, environnement, consommateurs, gouvernance. Chaque société filiale est invitée à auto-évaluer ses pratiques par rapport à ce cadre de référence. Chaque pratique est évaluée de 1 à 5, 5 étant le niveau d'excellence. L'évaluation s'applique à la fois aux politiques mises en œuvre et aux résultats.

Par exemple, en matière de sécurité du travail sont évalués non seulement les résultats obtenus en termes de fréquence et de gravité des accidents mais aussi l'importance et l'efficacité des moyens et des méthodes mis en œuvre pour améliorer la situation. Ce travail s'effectue sous la responsabilité du comité de direction de chaque société qui est invité à associer largement les salariés et leurs représentants.

Chaque filiale calcule son score global qui reflète son degré d'avancement et sa performance en matière de responsabilité sociale. Danone Way est une démarche de progrès continu, c'est-à-dire qu'après l'évaluation, les sociétés définissent leurs objectifs de progression à partir des atouts et des faiblesses de leur situation spécifique.

Expérimentée en 2001 sur 12 sociétés, la démarche a été déployée en 2003 à toutes les sociétés. En 2011, 142 filiales se sont auto-évaluées, représentant 92 % du chiffre d'affaires du groupe. La démarche a évolué au fur et à mesure des enseignements tirés de la pratique dans le sens d'une simplification. Dès 2002, des audits confiés à Price Waterhouse Coopers et Mazars sont venus compléter l'auto-évaluation. En 2011, une quinzaine de filiales font l'objet chaque année d'un audit mené par le cabinet KPMG. La démarche a favorisé l'appropriation de la culture Danone et a été la source de nombreuses initiatives sur le terrain. Elle a permis d'ancrer le double projet dans la thématique plus large du développement durable.

Avec Danone Way, Danone renouait avec une politique active en matière sociale. C'était le signe le plus tangible d'un retour à l'esprit du double projet chez Danone, sept ans après l'abandon du projet 32 heures.

7

La crise LU (2001-2003)

1. La genèse du projet LU

En 2000, Danone se porte à nouveau bien. La stratégie de recentrage est un succès économique qui se traduit dans le cours de l'action passant entre fin 1996 et fin 2000 de 11,25 à 40 euros.

La division produits frais est installée dans une croissance de 10 % par an tirée par les deux loco-motives mondiales que sont les marques Activia et Actimel. Evian poursuit sa conquête du monde comme marque de référence de l'eau haut de gamme.

Les acquisitions de Robust et de 50 % de Wahaha en Chine, d'Aqua en Indonésie, de Bonafont au Mexique complétées par le succès du lancement de Danone Waters aux États-Unis offrent un potentiel considérable de croissance aux métiers de l'eau.

Enfin les cessions de la bière, de l'épicerie et du verre d'emballage permettent au groupe de reconstituer un trésor de guerre, comme en 1980 après la cession du verre plat.

Le seul nuage dans ce ciel bleu est la santé des biscuits, le 3e métier du groupe, 23 % de son chiffre d'affaires. La France et le Benelux, qui représentent environ la moitié de son chiffre d'affaires, vont bien mais le reste des activités est à la peine ; notamment l'Espagne, la Grande-Bretagne, l'Italie et l'Amérique latine. La performance du biscuit pèse négativement à la fois sur la croissance et sur la rentabilité du groupe.

Surtout, une menace se précise sur le marché européen suite à l'acquisition en 2000 de Nabisco, le leader mondial du biscuit par Kraft, la division alimentaire de Philip Morris. Danone avait acheté en 1989 les activités de Nabisco en Europe au fonds d'investissement KKR. En conséquence, Nabisco est absent d'Europe. Il est clair que la priorité pour Kraft dans les biscuits sera de reconquérir l'Europe. Compte tenu de la puissance financière de Philip

Morris, la compétition s'annonce sévère pour les champions européens LU, United Biscuit ou Bahlsen.

Jacques Vincent est le nouveau n° 2 du groupe. Il est le patron opérationnel qui a la responsabilité du résultat sur lequel le groupe s'engage chaque année vis-à-vis de la communauté financière. Ce résultat, il l'obtiendra pendant tout son mandat de 1999 à 2007, cela l'amènera certaines années à exercer une pression forte sur les sociétés, ce qui ne le dérange pas vraiment. Cette pression, il la met tout de suite sur le nouveau patron des biscuits Jean-Louis Gourbin, recruté en 1999.

C'est dans ce contexte qu'une étude est confiée à McKinsey sur la compétitivité des biscuits. Elle met en évidence que le principal handicap de l'activité est un outil industriel en Europe peu performant caractérisé par le nombre important d'usines anciennes générant des coûts fixes élevés et surtout par des lignes de production utilisées à 50 % en moyenne alors qu'elles sont saturées à 80 % chez les concurrents.

Une deuxième phase de l'étude centrée sur l'amélioration de la compétitivité de l'outil industriel en Europe est lancée en 2000.

Divers scénarios sont étudiés et les résultats de cette étude sont présentés par McKinsey en septembre. Il recommande la fermeture de trois usines en France et de cinq autres en Europe (Italie, Belgique, Hollande, Irlande et Grande-Bretagne).

Cette recommandation suscite des oppositions notamment de la direction de LU France qui ne mettait pas en cause le diagnostic de surcapacité mais l'ampleur envisagée de la restructuration qui risquait de déstabiliser l'entreprise. Elle soulignait que la pratique Danone était celle des petits pas plutôt que des grands projets de restructuration à l'échelle européenne. Derrière cette opposition, on retrouvait l'antagonisme culturel entre les BSN et les « internationaux » issus des groupes américains comme Jean-Louis Gourbin et ses proches collaborateurs qui s'appuyaient sur deux alliés de poids : Jacques Vincent à qui Franck Riboud avait confié la coordination du projet, et McKinsey. Forts de leurs expériences de restructuration dans beaucoup de pays, ils étaient peu réceptifs aux objections des Français perçus comme des « franchouillards pas très courageux ».

En octobre et décembre 2000, deux études complémentaires sont menées portant sur la pâtisserie (Vandamme) et la panification (Heudebert) en France, ainsi que sur les deux sociétés polonaises et hongroises qui viennent d'être rachetées à United Biscuit.

Alors que les arbitrages ne sont toujours pas rendus au sein de Danone sur le contour définitif de la restructuration à mener, paraît un article dans *Le Monde* qui va précipiter les échéances.

2. La fuite du journal *Le Monde* déclenche l'affaire LU (janvier 2001)

Le 10 janvier, le journal *Le Monde* annonce en première page que Danone s'apprête à supprimer 3 000 emplois en Europe, dont 1 700 en France, et à fermer 11 usines, dont 7 en France.

Cette annonce est un coup de tonnerre. Dans les heures qui suivent, les usines LU se mettent en grève, les élus se mobilisent et une campagne violente se déclenche dans les médias contre Danone.

Au sein de Danone, la surprise est totale. Que communiquer alors que les arbitrages n'ont pas été rendus ?

Sous la pression des événements, Franck Riboud tranche en quelques jours des discussions qui duraient depuis des mois. La restructuration concernera exclusivement l'activité biscuits. Elle exclura la pâtisserie et la panification qui sont dans un contexte concurrentiel et compétitif très différent. La direction du projet est confiée à Jean-René Buisson, directeur général des relations humaines et n° 3 du groupe, rapportant exclusivement au président.

La préoccupation immédiate de Jean-René Buisson est de bétonner le dossier économique et de ne prendre aucun risque juridique pour éviter tout délit d'entrave qui pourrait entraîner l'annulation du plan de restructuration. « J'étais certain qu'il y aurait une bataille judiciaire et que cela se jouerait in fine au tribunal d'instance d'Évry. Dans ce contexte j'ai décidé que l'on communiquerait le moins possible. »

La fuite du *Monde* met dès le départ Danone en position d'accusation. Le fait de communiquer a minima fragilise encore plus son image. Fin janvier 2001, en un mois, l'image de Danone passe de la 5e à la 25e place dans le baromètre, *Nouvel Économiste/Ipsos,* classant l'image des 30 plus grandes entreprises françaises. Le score de bonne image perd 25 points en passant de 80 à 55 %. Les médias restent mobilisés entre janvier et mars. C'est la lutte des petits LU contre la grande entreprise internationale. L'annonce que le plan biscuits sera présenté le 29 mars aux syndicats européens à Genève est un événement de communication à l'échelle européenne.

Le 29 mars 2001, Danone annonce la suppression de 1 816 emplois en Europe dont 570 en France (soit la suppression de 819 emplois et la création de 249 autres) : sont fermées six usines en Belgique, Hollande, Hongrie, Italie et en France (Calais et Évry). S'ajoutent des restructurations sans fermeture en Angleterre, en Irlande et en France à Château-Thierry.

Pour accompagner cette restructuration, Danone s'engage à reclasser tout le personnel. Les salariés touchés par la suppression de leur emploi disposent d'un délai de trois ans pour préparer leur mobilité ou leur reconversion. La société s'engage à proposer au moins trois emplois, un à l'intérieur du groupe et deux dans le bassin d'emploi. Par ailleurs une équipe dédiée est formée dont la mission est la réindustrialisation des sites concernés par la restructuration.

Beaucoup chez Danone ont pensé que ce plan en retrait par rapport aux annonces du *Monde* associé à des mesures sociales très importantes allait calmer la crise. C'est l'inverse qui se produit. En quelques jours, les événements s'enchaînent qui provoqueront une explosion médiatique et politique.

Un hasard du calendrier calamiteux pour Danone est l'annonce brutale le même jour par Marks & Spencer de son retrait de la France et la suppression de 1 500 emplois avec, pour seule mesure d'accompagnement, une indemnité de licenciement de 1,5 mois par année d'ancienneté. Du jour au lendemain, l'amalgame Marks & Spencer est fait au détriment de Danone.

L'annonce a lieu au lendemain des élections municipales qui ont été un échec pour la gauche au pouvoir et un désastre pour le Parti communiste qui, hors de l'Île-de-France, conserve une seule ville importante, Calais, là où Danone annonce la fermeture d'une des deux usines. Cet échec politique renforce, au sein de la gauche plurielle, l'affrontement sur une question centrale qui est au cœur de la loi sur la modernisation sociale en cours d'examen à l'Assemblée nationale : faut-il interdire les licenciements dans les entreprises qui font des bénéfices et ne les autoriser que dans des situations où la survie de l'entreprise est menacée ?

C'est dans ce contexte hostile à Danone que le maire de Calais, Jacky Hénin, déclare sa ville capitale de l'antimondialisation et lance le 2 avril un appel au boycott. L'initiative est relayée par le réseau Voltaire proche d'Attac et des altermondialistes qui créent dans la foulée le site internet « jeboycott.com », qui publie la liste des produits Danone à bannir.

Le boycott aura un effet significatif sur les ventes d'avril (baisse des ventes de l'ordre de 10 %) mais ne durera pas. Il pénalisera plus les produits de la marque Danone assimilés à la société mère, que les produits LU perçus comme victimes de la société mère : les grands Danone froid contre les petits LU chaud.

L'usine d'Évry se proclame haut lieu de la lutte sociale. Bénéficiant de sa proximité de Paris, le pèlerinage de la solidarité devient un *must* pour beaucoup de leaders de la gauche. Même le Parti nationaliste basque s'y met en organisant une manifestation devant la résidence secondaire de Franck Riboud.

Face à cette avalanche, Danone commence à communiquer notamment sur l'importance des mesures sociales d'accompagnement, mais est inaudible. La pression est énorme. Les salariés de Danone ont le sentiment de vivre dans une citadelle assiégée, interpellés par leurs amis, leur famille, leurs enfants.

La pression médiatique commence à diminuer le 24 avril suite à l'interview de Franck Riboud par Patrick Poivre d'Arvor au journal du soir de TF1. Début mai, l'affaire LU quitte l'actualité des médias et les effets du boycott diminuent rapidement. Pour les spécialistes, c'est un cas d'école : « Dans un premier temps on fustige le bouc émissaire et puis le balancier revient. L'émotion doit s'exprimer avant que le rationnel ne prenne le dessus. »

En septembre 2001, la procédure concernant le volet économique du plan est achevée. Le 18 février 2002, le tribunal d'Évry valide la procédure de

licenciement. Début 2003, la société Armatis
annonce la création d'un centre d'appel à Calais
employant à terme 400 personnes. En mars 2003,
les sites de Calais et Évry sont fermés et en septembre 2003, le centre d'appel est ouvert à Calais
en présence du maire qui reconnaît publiquement
que Danone a tenu ses engagements en matière de
reconstitution d'activités.

Le conflit LU a été d'une intensité sans précédent dans l'histoire de BSN et de Danone. Fin
2002, Bernard Giraud, qui pilotait les actions de
ré-industrialisation, et Bertrand Queffelec, DRH de
LU, accompagnaient Jean-René Buisson à l'usine
de Calais pour demander au personnel de libérer
les locaux occupés afin de permettre au repreneur
Armatis de les reconvertir.

Ils témoignent :

> Cela faisait trois heures que nous étions à l'usine
> de Calais face aux 130 personnes qui n'avaient
> pas retrouvé de travail, soit la moitié du personnel
> de l'usine. Parmi les 130 personnes, 60 avaient
> systématiquement retourné les convocations de
> l'antenne-emploi pour signer leur refus de l'idée
> même de fermeture de l'usine. C'étaient les mili-
> tants CGT les plus endurcis, proches du maire
> communiste de Calais, Jacky Hénin.

Chaque fois que Jean-René Buisson prenait la parole, un tapage énorme couvrait ses mots. Il était venu pour leur dire des choses difficiles :

– Le groupe Danone, après un énorme effort de prospection, était enfin arrivé à convaincre un industriel, grâce aux avantages apportés pour la création d'un centre d'appel qui démarrait avec 100 personnes en septembre et 400 personnes à terme.

– Le seul lieu possible pour créer ce centre d'appel était dans l'usine. Dans ces conditions, les travaux d'aménagement devaient démarrer en avril pour respecter l'échéance du 1er septembre. En conséquence, le personnel devrait cesser l'occupation des locaux.

– Danone n'avait rien contre le principe d'une coopérative ouvrière de production de biscuits, solution alternative proposée par la CGT, mais n'avait pas l'intention de la soutenir car les études montraient qu'elle n'avait pas de viabilité économique.

– Enfin le centre d'appel allait recruter des salariés d'un profil différent du personnel de l'usine. En conséquence, l'antenne-emploi continuerait son action bien au-delà de la date initiale.

Au milieu de son discours, une femme s'approche de lui brandissant deux bulletins de paie, celui de LU, 2 000 euros/mois, celui de son nouvel employeur 1 100 euros/mois : « Voilà le boulot que vous nous trouvez à 30 kilomètres de notre domicile. »

La salle s'échauffe de plus en plus, le dialogue de sourds se poursuit. Soudain, Jean-René Buisson voit deux costauds brandissant un énorme miroir qu'ils avaient dévissé des toilettes.

« Ils vont me le balancer sur la gueule. »

Ils approchent le miroir à 50 cm de son visage.

« Regardez-vous, comment osez-vous encore le matin vous regarder dans la glace ? »

3. Premier bilan

Fin 2003, la restructuration de LU est achevée, mais le sentiment de gâchis économique, social et de réputation est persistant chez Danone. Depuis vingt-cinq ans, le groupe avait mené des restructurations sans crise majeure grâce à l'importance de ses mesures de reclassement et de réindustrialisation. Pourquoi tout s'était-il mal passé cette fois-ci ? Pourquoi ce lynchage médiatique de Danone alors que d'autres entreprises avaient annoncé la même année des restructurations plus importantes avec un accompagnement social beaucoup plus léger : Marks & Spencer, mais aussi Moulinex, qui supprimait 3 700 emplois en 2001, ou encore Alcatel qui en supprimait 1 045.

Au sein de Danone, deux thèses s'affrontaient :

Pour les initiateurs du projet, comme Jacques Vincent ou Jean-Louis Gourbin, le projet avait dérapé suite à la fuite du journal *Le Monde* et au manque de chance (les élections municipales, Marks & Spencer, le boycott). Ils critiquaient la communication minimale de Danone. Ils s'interrogeaient sur le coût très élevé des mesures sociales qui n'avaient pas permis de protéger Danone et sur la réputation sociale du groupe qui le mettait en porte-à-faux.

Pour Jean-René Buisson et d'autres, la fuite du *Monde* avait été une catastrophe sur le plan de l'image. Elle avait mis Danone en position d'accusation sans possibilité de communiquer, mais le problème de fond était le projet lui-même, irréaliste dès le départ dans le contexte social et politique français.

Début 2004, Franck Riboud me demande de conduire une étude pour tirer le bilan et les enseignements de la « restructuration de LU ». J'interrogeai la trentaine de dirigeants, managers, consultants, avocats qui avaient été associés au projet.

Les principaux résultats de l'étude furent les suivants :

La méthode Danone de gestion des restructurations avait fonctionné dans la plupart des pays

En Belgique, Hollande, Italie, Angleterre et Irlande les négociations s'étaient déroulées sans difficulté majeure selon le calendrier prévu. Les mesures en matière d'indemnisation des salariés, d'accompagnement des reclassements et de réindustrialisation de sites avaient joué un rôle décisif pour parvenir à un accord avec les syndicats. Fin 2003, de 90 à 100 % des salariés avaient été reclassés et la réindustrialisation des sites était en forte progression dans tous ces pays dès 2003.

Une exception de taille : la Hongrie, où la décision précipitée de fermer la principale usine après une étude sommaire avait généré une telle mobilisation que Danone avait décidé de suspendre le plan social. En France, le taux de reclassement des salariés était de 71 % seulement. C'était la conséquence de l'attitude jusqu'au-boutiste de la CGT qui avait fait pression sur le personnel pour qu'il reste mobilisé contre les fermetures et qu'il refuse d'aller dans les antennes emploi.

Un nouveau contexte judiciaire plaçait la procédure au cœur des restructurations en France

Au cours des entretiens avec les experts sociaux de Danone et avec Daniel Chamard, l'avocat qui a conseillé Danone tout au long de la procédure, j'ai compris pourquoi la gestion sociale de la restructuration de LU avait été différente des précédentes actions menées en France.

Le tournant avait été l'arrêt Samaritaine qui, en 1997, avait créé un nouveau contexte judiciaire. Il annulait les licenciements économiques au motif que le plan social était insuffisant et il imposait la réintégration des salariés licenciés quatre ans auparavant. Cet arrêt déclencha une surenchère de jurisprudence de la part de certains juges, conduisant à l'allongement des procédures, à l'annulation des plans de restructuration et à la condamnation des entreprises à payer des dommages et intérêts pour des motifs divers (raisons économiques injustifiées, délit d'entrave, non-respect des procédures). La judiciarisation des licenciements économiques était le fait d'une génération de juges en phase avec une partie de l'opinion et des élus. Ils se posaient en contrepouvoir des grandes entreprises pour compenser l'affaiblissement des syndicats et le retrait de l'État depuis la suppression de l'autorisation

221

administrative des licenciements. La complexité de la législation et de la jurisprudence leur donnait un pouvoir énorme d'interprétation. Depuis 1997, pour une société qui faisait des bénéfices (c'était le cas de LU mais pas celui de Moulinex, ni d'Alcatel), le seul moyen d'aboutir était d'avoir un dossier économique et social très solide au moment de l'annonce, et ensuite, de ne commettre aucune faute de procédure pour éviter l'annulation.

Danone avait gagné la bataille de la procédure

Les critiques étaient nombreuses sur la manière dont Danone avait géré sa communication, mais chacun reconnaissait que la bataille de la procédure centralisée d'une main ferme par Jean-René Buisson, et relayée sur le terrain par Bruno Guillemet, avait permis d'éviter l'enlisement. L'intersyndicale menée par la CGT et conseillée par l'avocat Maître Brun avait mené une bataille inouïe de procédure cherchant en permanence à pousser LU à la faute dans un contexte d'extrême pression sociale à Calais et à Évry. Une cinquantaine de comités centraux d'entreprise avaient eu lieu entre mi 2002 et fin 2003. Ils s'étaient déroulés sous la protection des CRS. En février 2002, le jugement d'Évry en faveur de Danone fut vécu comme une grande victoire par ses experts sociaux : « Si on avait perdu, il aurait fallu reprendre tout à zéro dans un contexte médiatique, politique et social épouvantable. Qu'aurait fait alors Danone ? »

Une défaite totale de la communication

La perception que Danone s'était fait « ratatiner » était unanime. Beaucoup l'avaient vécu personnellement.

La position défensive de Danone, son absence de communication suite à la fuite du *Monde* en raison de la procédure, étaient jugées insoutenables vis-à-vis de l'extérieur autant qu'à l'égard des employés de LU. Pour ne prendre aucun risque, la communication interne était fondée sur des notes émanant de la direction générale du groupe. Cela avait entraîné une déshumanisation des relations et, pour la direction de LU, le sentiment de perdre la bataille de la proximité auprès des salariés. Ainsi, la première réunion d'échange avec le personnel d'Évry n'avait eu lieu par excès de prudence sur la procédure que fin 2002.

Pourquoi cette crise médiatique contre Danone ? L'explication dominante était que Danone, une des entreprises préférées des Français, très connue du fait de ses marques et la plus exposée à la critique du fait de son discours social, avait subi un retour de flammes à la hauteur de sa réputation en prenant une décision contraire à son image. Danone était la cible idéale d'un boycott car elle était la société la plus vulnérable à l'idée que les citoyens, en tant que les consommateurs peuvent faire plier les entreprises.

Comme l'affirme Naomi Klein dans *No logo* :

> Les ONG les plus militantes ont tendance à s'attaquer aux entreprises les plus sociales pour montrer que le problème n'est pas le comportement de telle ou telle entreprise mais le pouvoir en soi des multinationales.

À l'objection : pourquoi cette mobilisation médiatique en 2001, bien plus importante que celle constatée lors des fermetures des deux usines de yaourts Danone en 1995 ? les personnes rencontrées répondaient que la restructuration était d'une ampleur sans précédent en termes de nombre de sites et de pays concernés. Elles ajoutaient que ce qui pouvait être toléré hier, c'est-à-dire qu'une entreprise rentable licencie, l'était moins aujourd'hui dans la France caractérisée par la montée en puissance d'associations anti-globalisation comme Attac et gouvernée par les socialistes.

Pourquoi cette défaillance de la communication de Danone ? L'explication était que le groupe, habitué à gérer des conflits classiques avec les syndicats et les élus locaux dans les cas de restructurations, n'était pas préparé à affronter un conflit de société caractérisé par l'ingérence des leaders d'opinion, l'irruption des nouveaux acteurs de la société civile, le boycott et les campagnes sur Internet. Pris de court par la fuite du *Monde*, Danone s'était montré incapable de réagir.

La fuite du journal *Le Monde* a-t-elle sauvé Danone d'un échec retentissant ?

La recommandation de McKinsey était la fermeture ou la cession d'au moins quatre ou cinq usines en France. Pour Daniel Chamard, « dans sa version lourde, le projet LU dépassait le seuil d'acceptation en matière de restructuration au regard des résultats de LU en France. J'ai prévenu qu'à trop charger la barque, on s'enliserait dans des procédures à répétition ».

Jean-René Buisson le savait. Jacques Vincent le savait-il ? Avait-il conscience que le contexte judiciaire avait à ce point changé en France ? Il pilotait un projet industriel européen visant un optimum au plan économique et non pas un projet économique intégrant le social. Cette démarche dissociant

l'économique et le social était pour une part la conséquence des relations tendues qu'entretenaient Jacques
Vincent et Jean-René Buisson. Ce dernier, pour peser
sur le projet, préférait attendre les derniers arbitrages
en présence de Franck Riboud afin de développer
son argumentation sociale et juridique.

Qu'auraient été les arbitrages sans la tempête
médiatique soulevée par l'article du *Monde* ? Je
concluais mon étude sur cette phrase qui n'a été
contestée par aucun des dirigeants de Danone : « La
fuite du *Monde* a eu un effet pédagogique auprès
du groupe en faisant entrer l'environnement politique et social dans ses décisions. Compte tenu de
la manière dont le projet était embarqué au regard
de l'environnement politique et social français, LU
s'en tire plutôt bien. »

4. L'étude Malaval-Zarader

En 2005, les deux chercheurs Catherine Malaval
et Robert Zarader menèrent une étude sur la crise
LU, visant à « comprendre les causes d'une pression
médiatique, sociale et politique sans précédent sur
une entreprise ». Ils rencontrèrent des journalistes,
des élus, des acteurs de la société civile et publièrent

leurs études, d'abord sous la forme d'un article dans la revue *OIC – Observatoire International des Crises* (2008) et ensuite dans le livre[1] *La Bêtise économique.*

Leur point de départ était similaire aux études déjà réalisées ; Danone et LU sont des vecteurs idéaux, du fait de la symbolique des marques, pour mobiliser l'opinion. Danone, héritier du capitalisme social, proche de la deuxième gauche, est un instrument idéal pour dénoncer la conversion de la gauche de gouvernement aux thèses sociales et libérales.

Mais ils vont plus loin. Leur thèse centrale est que LU « a servi plus largement la mise en scène d'une autre histoire à la veille d'enjeux électoraux majeurs : pousser le gouvernement socialiste et Lionel Jospin à clarifier sa position sur le rôle de l'État dans l'économie ».

LU est ainsi la ligne de clivage entre les tenants d'une gauche gestionnaire et les tenants d'une gauche socialiste. Ce clivage, il existe dans les médias, au Parti socialiste, au sein de la gauche plurielle, entre les syndicats avec Sud et le SNJ particulièrement en pointe contre la CFDT. Il est exacerbé par la perspective des élections municipales d'abord et de l'élection présidentielle prévue un an plus tard.

---

1. Catherine Malaval – Robert Zarader, *La Bêtise économique*, Perrin – 2008.

Les auteurs illustrent leur thèse en décrivant les positions de plusieurs acteurs-clés.

Au journal *Le Monde*, c'est l'action de Laurent Mauduit (rédacteur en chef économique) appuyé par le directeur de la rédaction Edwy Plenel. Tous deux mènent un véritable réquisitoire sur les abandons successifs de la gauche au pouvoir et contre ce qu'ils dénoncent comme la trahison jospinienne.

Au sein de la gauche plurielle, le gouvernement Jospin est divisé sur l'affaire LU. Son non-engagement a pour effet d'exacerber le débat. Le Parti communiste a tout de suite compris le potentiel médiatique de l'affaire LU au lendemain de sa défaite électorale et la possibilité de se démarquer du Parti socialiste. Il trouve là un terrain de mobilisation et un positionnement à la gauche de la gauche. Les Verts et le Mouvement républicain et citoyen de Jean-Pierre Chevènement, futur candidat aux présidentielles, s'engagent à fond derrière le boycott. Le plus nouveau est la mobilisation des altermondialistes derrière Attac, alliée de l'extrême gauche, qui alimentent en permanence le débat autour des licenciements boursiers.

Un autre exemple de l'instrumentalisation de l'affaire LU est l'action de Manuel Valls, socialiste réformateur et candidat aux municipales à Évry. Il noue une alliance avec les militants de Lutte Ouvrière bien implantés dans l'usine d'Évry pour contourner localement Julien Dray, Marie-Noëlle Lienemann et Jean-Luc Mélenchon, les fondateurs de la Gauche socialiste, le courant du PS dominant dans l'Essonne.

L'enseignement de leur étude pour ces chercheurs est qu'il n'existe pas de mouvement d'opinion spontané. Une crise médiatique est une histoire qui se construit en feuilleton coproduit par des acteurs (journalistes, syndicalistes, salariés, élus, associations) qui s'expriment et agissent. Chacun l'instrumentalise à ses fins et c'est la mise en système qui produit le mouvement d'opinion. Cette thèse interroge sur la marge de manœuvre d'une entreprise quand elle est prise dans un maelström qui la dépasse.

Compte tenu de l'importance des enjeux politiques, de la multiplicité et du poids des acteurs engagés, on peut questionner la capacité de Danone à changer le cours des événements, même si le groupe avait fait un sans-faute en matière de communication, ce qui était loin d'être le cas.

Les auteurs laissent entendre que la victime principale de l'affaire LU a peut-être été Lionel Jospin. Non seulement la crise a amplifié les tensions au sein de la gauche plurielle, mais elle a aussi pénalisé sa campagne présidentielle. En mars 2002, il va visiter le

229

centre de recherche Genopole à côté d'Évry et croise les syndicalistes de LU sur son chemin. L'échange glacial qui a donné lieu est filmé par les caméras de la télévision. Son refus de prendre parti fait écho à sa déclaration de 1999 à propos de l'affaire Michelin : « l'État ne peut pas tout », qui avait déjà fortement divisé la gauche. Cet épisode sera considéré comme une des causes de son échec au premier tour des élections présidentielles.

5. Les enseignements de la restructuration de LU pour Danone

Danone devait-il à l'avenir s'interdire de restructurer du fait de ses bénéfices ? Franck Riboud avait répondu à cette question dès le 10 avril 2001 dans une interview au *Figaro* :

Certains disent : Danone fait des bénéfices, ils doivent attendre pour restructurer. Attendre quoi : faire des pertes ? Remettre de telles discussions à plus tard, cela donne des plans sociaux encore plus drastiques et brutaux. Le devoir d'un patron, c'est d'assurer l'avenir dans le respect des salariés. [...] Je ne sacrifierai pas la productivité à l'emploi car ce serait sacrifier l'avenir au présent. Ce serait une forme de lâcheté et d'irresponsabilité.

Ce discours accepté par les syndicats et l'opinion en Allemagne ou en Grande-Bretagne reste inaudible par la majorité de l'opinion en France.

Il était clair que Danone devait tirer les enseignements de LU et faire évoluer son approche qui remontait aux années 1970.

En 2002, Franck Mougin devient directeur général des ressources humaines. Il succède à Jean-René Buisson, qui quittera le groupe pour devenir président de l'ANIA (Association Nationale des Industries Alimentaires). La mission prioritaire confiée par Franck Riboud à Franck Mougin est de tirer les enseignements de la crise LU.

Trois leçons principales furent tirées :

1 – Danone devait, au même titre que Coca-Cola, McDonald's, Nike ou Nestlé, intégrer son statut de cible idéale pour les combats altermondialistes. Le succès de Danone et son accès au rang de grande marque mondiale avaient une contrepartie : sa plus grande vulnérabilité à la pression des médias. Sa réputation auprès des consommateurs était un nouvel enjeu à prendre en compte dans l'évaluation

des décisions. C'était évident en France, mais la force avec laquelle la Hongrie avait relayé en quelques jours le boycott montrait que ce n'était pas une exception française. Les restructurations n'étaient plus seulement un sujet social, cela concernait aussi la réputation et les relations avec les consommateurs.

2 – L'accompagnement social fondé sur le reclassement et la réindustrialisation restait indispensable, mais il devait être complété par un volet en amont.

L'objectif est désormais de générer un projet global et de négocier et communiquer en amont de la décision.

Deux cas ont illustré cette nouvelle démarche :
– la cession de l'usine Champagnac de LU en 2006 à un repreneur industriel. La CFDT, syndicat majoritaire de l'usine, fut consultée sur le choix du repreneur et prit position en faveur d'un entrepreneur indépendant qui conservait tout le personnel plutôt qu'une entreprise qui risquait de faire jouer des synergies. Un contrat de sous-traitance avec LU fut négocié, ainsi qu'une période de transition pour donner le temps à la nouvelle direction de trouver des débouchés supplémentaires à cette usine spécialisée dans la pâte feuilletée ;
– la fermeture de l'usine de fromages frais de Neufchâtel en 2008 et le transfert de sa production à

l'usine de Ferrières située à 36 kilomètres. Ce projet a été le résultat d'une concertation intense avec les élus, les syndicats et le personnel. Au départ, un accord cadre a été signé intitulé « new deal – Danone, Pays-de-Bray » qui avait pour objet d'inscrire dans un horizon à moyen terme la nouvelle usine Pays-de-Bray. Ensuite, un accord de méthode signé par tous les syndicats a porté sur l'évolution des emplois et sur la conduite participative du changement avec le personnel et ses représentants. Danone redécouvrait *Modernisation, mode d'emploi* vingt ans après !

Dans les deux cas, la clé du succès fut la négociation en amont du projet avec les partenaires sociaux et les élus, complétée par une information en continu des salariés concernés.

Cette démarche condamne les projets tout ficelés au plan économique, avec une négociation portant exclusivement sur les mesures sociales d'accompagnement. Elle tend à distinguer les objectifs de performance à moyen terme, sur lesquels la marge de négociation est faible, et les solutions pour les atteindre où diverses options peuvent être envisagées. Le principe d'un projet ouvert change l'esprit de la négociation. Il construit une relation de confiance et donne du temps à chacun pour se préparer. C'est la situation inverse de LU, où la fuite du *Monde* avait créé un choc immense auprès des salariés de Calais

233

et d'Évry alors que rien ne les avait préparés à cette nouvelle. Cette brutalité de l'annonce avait favorisé le ralliement des salariés aux leaders syndicaux les plus radicaux. À Évry, les gauchistes, bien que minoritaires, prirent le pouvoir dans l'usine, aidés par le déficit de management de proximité déjà évoqué.

3 – L'employabilité des salariés fut placée en tête des priorités sociales de Danone et un programme visant l'amélioration de l'employabilité fut lancé au sein des sociétés du groupe. C'est une conséquence directe de la restructuration de LU. L'évaluation des compétences du personnel qui avait été réalisée pour accompagner les reclassements avait mis en évidence le faible niveau d'employabilité de certaines populations, notamment les femmes travaillant depuis longtemps sur les lignes de conditionnement. Des chantiers pilotes furent engagés dans plusieurs pays avec l'appui de l'Institut Entreprise et Personnel. Ils concernaient aussi bien des cours d'alphabétisation en Indonésie que la mise en œuvre d'organisations qualifiantes dans les usines Danone en Espagne, ou encore, chez LU France, la signature d'un accord novateur sur l'acquisition des compétences.

En France, l'action principale fut le projet Evoluance. C'est un programme de formation diplômante mené en partenariat avec l'Éducation nationale. Il permet aux ouvriers et aux employés d'accéder à un diplôme allant du CAP au BTS via une validation des acquis professionnels et d'acquérir de nouvelles expertises qui sont autant d'atouts en cas de perte d'emploi pour se repositionner sur le marché du travail. En 2008, 1 055 salariés de Danone en France soit plus de 10 % des effectifs avaient décroché un diplôme reconnu dans ce cadre.

8

Le sociétal, nouveau pilier
du double projet (2005-2008)

Les années 2000 vont remettre au cœur du double projet les enjeux sociétaux. C'est un retour aux sources du discours de Marseille qui mettait à égalité préoccupations sociales à l'égard des salariés et préoccupations sociétales tournées vers la collectivité et l'environnement.

Le rôle du sociétal chez Danone va évoluer au cours des années 2000. Le premier rapport de responsabilité sociale de Danone date de 1998 et Danone Way de 2000. Un événement extérieur, « la rumeur Pepsi », va avoir comme résultat inattendu le déclenchement d'un processus qui débouche sur la formulation de la mission de Danone. Dans ce cadre, la rencontre de Franck Riboud avec Muhammad Yunus va être le point de départ d'une série d'initiatives qui vont donner de la force et du sens à cette mission.

1. Les gènes sociétaux de Danone

Danone n'a pas attendu la fin des années 1990 pour agir dans le champ sociétal.

Deux initiatives ont permis à BSN de prendre très tôt la mesure des enjeux écologiques : le traitement des emballages perdus et le partenariat entre la société des eaux minérales d'Evian et les communes du Chablais.

Le traitement et recyclage des emballages perdus

Au début des années 1970, l'emballage perdu remplace à toute allure l'emballage consigné. Les bouteilles en PVC se substituent aux bouteilles consignées.

BSN, premier producteur d'eau minérale, de bière et de bouteilles en verre, est la société la plus concernée par le débat qui s'amorce sur la pollution occasionnée par les emballages. Antoine Riboud décide de prendre les devants. Il organise, fin 1970, une réunion à Evian entre toutes les parties prenantes qui débouche sur la création, en 1971, de l'association Progrès et Environnement qui réunissait les acteurs impliqués dans les emballages.

L'association lance en juillet 1971 l'opération « Vacances propres » dont l'objectif est d'aider les communes à lutter contre la pollution des sites touristiques en mettant à disposition du public des poubelles facilement repérables. Au fil des années, 1 300 sites furent ainsi équipés. Par ailleurs une collecte des bouteilles en verre perdu était organisée. Le verre ainsi récupéré était ensuite traité et recyclé dans les fours des verreries.

Cette action a servi de référence pour la démarche préconisée dans le discours de Marseille : conscience du problème, acceptation de la responsabilité des entreprises, recherche de solutions et concertation avec les acteurs concernés.

En 1991, Antoine Riboud rédige à la demande de Brice Lalonde, ministre de l'Environnement, un rapport intitulé *Emballage et Environnement*. Il préconise une redevance acquittée par les producteurs de produits conditionnés sur chaque emballage mis sur le marché, afin de financer la collecte et le tri par les collectivités locales. Ce principe sera repris et précisé par le rapport de Jean-Louis Beffa, président de Saint-Gobain, qui est à l'origine de la loi relative à l'élimination des déchets et à la récupération des matériaux. Dans la foulée est créée la société Éco-Emballages, qui aide à collecter, traiter et recycler les déchets ménagers. En 2010, celle-ci finance 60 % des coûts des collectivités locales en matière de collecte et de traitement.

Evian, partenaire du développement local

L'autre grand chantier sociétal concerne les partenariats noués autour de l'eau minérale d'Evian avec les communes du Chablais qui abritent la nappe d'eau phréatique et l'usine d'embouteillage d'Amphion.

L'eau minérale est un métier particulier car le produit qui est vendu n'appartient pas à l'entreprise, il dépend des communes qui perçoivent une redevance. Sous-estimer l'importance des communautés locales peut être la cause de graves difficultés, quel que soit le pays. Dès les années 1970, Evian a eu une attitude pionnière en matière de partenariat local. La société avait besoin de négocier non seulement son accès à la source mais aussi la protection de la nappe phréatique contre toutes les pollutions : engrais chimiques, pollutions industrielles, pollution liée à l'habitat. En contrepartie, l'entreprise s'est engagée à mener des actions en faveur du développement économique local et de l'emploi. Cette coopération a notamment concerné la remise à neuf des activités thermales et touristiques d'Evian. Elle s'est traduite par des investissements importants dans les hôtels, le casino, la station thermale, le golf… favorisant un renouveau de la ville et des communes environnantes dans les années 1980.

Cette coopération a été institutionnalisée dans un partenariat en 1992 avec la création de l'Apieme – Association de protection de l'impluvium des eaux minérales à Evian – qui réunit la société Evian, les communes concernées, la chambre d'agriculture et les pouvoirs publics. Financée aux deux tiers par l'entreprise, elle soutient des actions visant la préservation de l'environnement en finançant des stations d'épuration, le développement d'une agriculture respectueuse de la qualité de l'eau par la substitution d'engrais naturels aux engrais chimiques ou des projets de développement en faveur du Chablais.

2. La mission de Danone (2005)

Juillet 2005 : des rumeurs parviennent indiquant que Pepsi-Cola aurait l'intention de lancer une OPA hostile sur Danone. Trois ans après LU, Danone est de nouveau au centre de l'actualité, mais cette fois les politiques et les médias se mobilisent pour faire barrage à une menace d'OPA contre un fleuron de l'industrie française. L'épisode de Pechiney, racheté par le canadien Alcan et dépecé ensuite, a marqué les esprits. Le débat sur le patriotisme économique est lancé, il n'est pas près de s'arrêter.

Il est probable que cette campagne médiatique a fait reculer Pepsi. Il est clair que Danone en a bénéficié.

En tout cas, l'alerte a été chaude. Il fallait en tirer les enseignements car les entreprises qui rêvent de s'emparer de Danone sont bien connues : Pepsi-Cola mais aussi Coca, Nestlé, Kraft ou Unilever, c'est-à-dire des entreprises qui ont trois à quatre fois la taille de Danone en termes de capitalisation.

Comment protéger Danone sachant que, pour ces sociétés, la valeur boursière de Danone est d'autant moins un obstacle qu'il est possible, après l'achat, de revendre une partie des activités pour diminuer le coût de l'OPA ? Une première piste est de trouver des actionnaires de référence. Le risque est de tomber de Charybde en Scylla, avec une stratégie soumise aux intérêts des actionnaires et des fonds d'investissement au détriment du développement de l'entreprise.

Franck Riboud, comme son père, veut préserver à tout prix l'autonomie stratégique du groupe.

C'est alors qu'il lance l'idée de Danone Uniqueness, c'est-à-dire l'affirmation du caractère unique de la culture de Danone. Le message est le suivant : l'ADN de Danone est la clé de ses succès, donc tout ce qui l'altère dégrade la performance de l'entreprise. Il expliquera quelques mois plus tard dans un entretien avec le magazine belge *Trends* de mars 2006 sa position, suite à la rumeur d'OPA de Pepsi :

> Ma préoccupation, c'est ma responsabilité de chef d'une entreprise qui, depuis de nombreuses années, aligne les meilleurs résultats du secteur. Ces performances, nous les devons à nos marques, mais surtout à notre culture. C'est elle qui mobilise et motive nos équipes. Pourquoi irais-je prendre le moindre risque, en tant que CEO, de diluer cette culture dans un ensemble plus grand ? [...] Je m'attache à la défense du groupe par sa culture. Si la défense n'était qu'économique, il se trouverait vite quelqu'un de plus riche que moi, capable de convaincre nos actionnaires et de racheter le groupe.

Cette idée de renforcer le caractère unique de Danone était une radicalisation du discours que tenait Franck Riboud depuis plusieurs années sur le fait que, face aux géants de l'alimentaire, l'entreprise devait se différencier. L'ambition n'était pas de devenir un petit éléphant au milieu des gros éléphants mais d'être un félin, capable de combiner vitesse et agilité ; autrement dit l'entreprise qui, grâce à sa culture, réalise la plus forte croissance rentable parmi les grandes sociétés alimentaires mondiales.

La vocation de Danone à devenir unique avait donc des fondements ; mais en 2005, l'entreprise était loin du compte, comparée à des sociétés de référence au plan culturel comme Apple, Starbucks ou Ikea. Si les milieux financiers restaient sceptiques sur la force de dissuasion que représentait ce concept face à une OPA hostile, chez les managers de Danone ce discours suscita beaucoup d'enthousiasme.

Franck Riboud avait obtenu la reconnaissance des actionnaires grâce au succès de la stratégie de recentrage. Avec la dynamique initiée par le projet Uniqueness, il va, entre 2005 et 2008, passer du statut d'héritier doué à celui de fondateur d'un nouveau Danone.

En octobre 2005, une grande étude est lancée visant à identifier ce qui devait constituer le caractère unique de Danone. Elle est confiée à Pierre Deheunynck, directeur du développement des organisations, à Laurent Sacchi, directeur de la communication et à moi-même. Nous nous faisons aider par Patrick Degrave de l'institut Sociovision Cofremca. Une centaine de personnes connaissant bien Danone sont interrogées, des managers de tous les pays, des anciens de Danone, des actionnaires, des fournisseurs, des consultants, des journalistes. Il leur est demandé leur perception de ce qui constitue ou pourrait constituer le caractère unique de Danone. L'étude doit servir de base à la réunion du comité international programmé en avril 2006. Ce séminaire de réflexion stratégique réunit chaque année le comité exécutif et une trentaine des principaux dirigeants du groupe. En avril 2006, le thème est donc : « Comment rendre Danone unique ? »

Les principaux résultats de l'étude sont les suivants :

– la caractéristique qui ressort en premier est la culture entrepreneuriale de Danone, fondée sur la forte autonomie locale des équipes de direction qui favorise l'initiative, la responsabilité, la proximité avec l'environnement et la réactivité. Le fameux « jeu de jambes » érigé en valeur essentielle du management Danone. Cette culture est ce qui est le plus attractif pour les managers qui viennent d'entreprises comme Procter, Kraft ou Unilever, où ils se disent enfermés par les procédures ;

– un autre trait distinctif est ce qu'ils attribuent au style Riboud père et fils, caractérisé par l'informalité, l'accès facile aux dirigeants, la simplicité, la liberté d'expression, le non-conformisme ;

– le double projet, Danone Way, les valeurs Danone sont également mentionnés, mais avec le commentaire que si Danone reste en pointe c'est moins distinctif qu'à d'autres époques.

Les entretiens font remonter également trois axes sur lesquels il est souhaité que Danone développe en priorité son caractère unique :

– l'approfondissement d'une stratégie d'alimentation santé, dans la foulée des succès d'Activia et d'Actimel et en référence aux origines du yaourt Danone, vendu exclusivement en pharmacie en 1919 à Barcelone ;

– le développement des initiatives « base de la pyramide », consistant à vendre à bas prix des produits alimentaires bons pour la santé aux populations pauvres des pays émergents. Cette démarche ressort comme une idée forte et distinctive pour Danone sachant que le partenariat avec Grameen en est à ses débuts (cf. ci-après) ;

– la création d'une entreprise apprenante. La référence, c'est le programme « Croissance plus », centré sur le repérage des leviers de croissance, la formalisation des bonnes pratiques et leur diffusion. Le moteur de déploiement, c'est le programme Networking qui vise à relier les milliers de managers dans le monde entier au travers d'événements ludiques intitulés « market place » et la création de communautés professionnelles sur l'intranet de Danone. Ces démarches décloisonnent les sociétés de Danone et développent la transversalité au sein du groupe. Elles suscitent un fort engagement et ressortent parmi les plus appréciées dans les enquêtes réalisées auprès des managers.

Le Comité international d'avril 2006 fut l'occasion de discussions animées. Emmanuel Faber, patron de l'Asie, présente une vision de rupture de ce que pourrait être un Danone « unique » : c'est une entreprise qui s'engage fortement vis-à-vis des populations les plus pauvres en matière de nutrition, qui concentre l'innovation sur l'alimentation santé, qui est en pointe en matière de protection de l'environnement et de réduction des émissions de CO_2. Pour attirer les actionnaires qui adhèrent à cette vision, il avance l'idée d'un dividende social, permettant aux actionnaires qui le souhaitent d'investir leurs dividendes dans les projets d'utilité sociale gérés par Danone.
Une partie des participants exprima son adhésion, certains même de l'enthousiasme sur cette vision. Une autre partie des participants, prise de court, resta

silencieuse. Étonnés, ils découvrent l'autre Faber qui, en tant que directeur financier, ne les avait pas habitués à un tel discours, celui qui exprimera quelques années plus tard ses convictions avec force dans son livre[1] *Chemins de traverse* et sera un inspirateur essentiel des initiatives sociétales et environnementales de Danone.

Face à la diversité des réactions, Franck Riboud décide de recadrer le débat : « Nous ne sommes pas là pour sauver la planète, notre objectif c'est l'Uniqueness de Danone. »

Le principal résultat de l'idée d'Uniqueness fut la formulation de la « mission Danone » ; l'objectif était d'exprimer la vocation de l'entreprise en une seule phrase, qui fut : « Apporter la santé par l'alimentation au plus grand nombre. » Elle allait orienter l'action stratégique de Danone pour les années à venir. La mission allait plus loin que l'idée d'Uniqueness ; elle donnait un sens à la stratégie de Danone. Pour la première fois, la stratégie devenait un facteur d'engagement et de fierté.

Lorsque je suis rentré chez BSN en 1970, la vision d'Antoine Riboud était du « contenant au contenu », c'est-à-dire de la bouteille aux boissons. Suite à sa rencontre avec Daniel Carasso et à la

---

1. Emmanuel Faber, *Chemins de traverse*, Albin Michel – 2011.

fusion avec Gervais Danone qui en résulta, elle devint « du verre à l'alimentaire ». À la fin des années 1990, ce fut le recentrage, complété par l'idée de « fastest moving food Company ». Aucune de ces stratégies ne faisait se lever le matin, aucune n'avait de contenu aspirationnel. Au début des années 1990, un dirigeant de Danone, inquiet de l'avenir de l'entreprise dans la perspective du départ d'Antoine Riboud, me disait : « Nous sommes un groupe d'épicerie avec une saga. Si l'aventure disparaît, on ne sera plus qu'un groupe d'épicerie. » Pour la première fois depuis la naissance de BSN en 1966, l'entreprise proposait avec la mission une vision motivante qui avait du sens pour ses employés et pour ses consommateurs.

Louis Schweitzer, ancien président de Renault, dans son livre *Mes années Renault*[1], a cette phrase : « Ce qui assure la survie des grandes entreprises, c'est qu'elles ne sont réductibles à aucune autre. Il ne suffit pas d'être bon, il faut être irremplaçable. » La feuille de route pour Danone est désormais claire. Elle est de concrétiser la mission « la santé par l'alimentation pour le plus grand nombre ». Dans le monde de l'industrie alimentaire, il s'agit de devenir unique voire irremplaçable.

---

1. Louis Schweitzer, *Mes années Renault*, Gallimard – 2007.

Une opportunité fondamentale va se présenter : la rencontre avec Muhammad Yunus, qui va permettre de montrer que cette mission, au-delà du discours, c'étaient d'abord des actes, des actes forts.

3. Muhammad Yunus et Grameen Danone (2005)

Muhammad Yunus raconte dans le prologue de son livre *Vers un nouveau capitalisme*[1] sa rencontre en octobre 2005 avec Franck Riboud qui déboucha sur la création de Grameen Danone. Il décrit de manière vivante leur dialogue qui sera le point de départ de beaucoup d'initiatives :

> *F. Riboud :* « Nous ne voulons pas nous contenter de vendre nos produits aux personnes aisées des pays émergents. Nous aimerions trouver un moyen d'aider à nourrir les pauvres. Être socialement innovants et progressistes fait partie des engagements historiques de notre entreprise. »
> *M. Yunus :* « La population du Bangladesh est l'une des plus pauvres de la planète. La malnutrition

---

1. Muhammad Yunus, *Vers un nouveau capitalisme*, Éd. JC Lattès – 2008.

est un problème terrible, surtout chez les enfants. Elle a des conséquences désastreuses sur leur santé lorsqu'ils grandissent. Votre entreprise est un important producteur d'aliments à haute valeur nutritive. Que diriez-vous de créer une joint-venture afin d'apporter certains de vos produits jusqu'aux villages du Bangladesh ? Nous pourrions fonder une société que nous détiendrions en commun et que nous appellerions Grameen Danone. Elle pourrait fabriquer des aliments bons pour la santé, qui amélioreraient le régime des Bangladais des campagnes, particulièrement des enfants. Si ces produits étaient vendus à prix bas, nous pourrions véritablement changer la vie de millions de personnes. »

Franck Riboud me tendit la main.

— Allons-y, *me dit-il et nous nous serrâmes la main.*
J'ajoutais alors quelque chose :

— Je n'ai pas encore achevé ma proposition. Notre joint-venture sera un social business…

— Un social business ? De quoi s'agit-il ? *demande F. Riboud.*

— C'est une entreprise créée pour répondre à des objectifs sociaux. Dans le cas qui nous occupe, l'objectif consiste à améliorer l'alimentation des familles pauvres dans les villages du Bangladesh. Un social business est une société qui ne distribue pas de dividendes ; elle vend des produits à des prix qui lui permettent de s'autofinancer. Ses propriétaires peuvent récupérer la somme qu'ils ont investie dans l'entreprise mais nulle partie des profits ne leur est versée sous forme de dividendes. Les profits réalisés par l'entreprise restent en son sein afin de financer son expansion, de créer de nouveaux produits ou services et de faire davantage de bien dans le monde. *Franck se leva à nouveau et me tendit la main par-dessus la table, il conclut :*

— Faisons-le.

J'étais si étonné que quelques heures plus tard, en route pour le campus HEC, j'envoyais un email à Franck et lui demandais s'il avait parlé sérieusement en décidant d'être la première entreprise multinationale à s'engager à créer une entreprise fondée sur le concept de social business.

Muhammad Yunus avait des raisons d'être étonné par le caractère soudain d'une telle décision. Philippe-Loïc Jacob, secrétaire général de Danone et moi-même présents à ce déjeuner, partagions le sentiment que cette poignée de main était l'étape décisive d'un processus de réflexion engagé par Danone quelques années avant qui avait préparé Franck Riboud à être réceptif aux idées de Muhammad Yunus.

Au départ du processus, il y avait eu le projet Tiger en Inde. Pour faire face à la concurrence, la société Britannia contrôlée par Danone avait mis au point un biscuit très bon marché qui fut un grand succès et permit à Britannia d'être beaucoup plus présent dans la distribution traditionnelle (échoppes, vendeurs dans la rue). Danone décida le déploiement du concept Tiger en Indonésie en créant la société Biskuat. Le projet fut confié à Laurence Tournerie, directrice du Marketing de l'Asie, qui analysa les facteurs-clés de succès en matière de mise au point de produits bon marché. Le constat était clair, il ne suffit pas d'adapter l'existant, il faut repenser en totalité le produit, les modèles de distribution et de production. Biskuat fut lancé en 2002 en Indonésie avec un grand succès au point qu'en quelques années la société devint leader du marché.

Ensuite, il fut décidé de conduire un projet pilote dans les yaourts. Didier Lamblin, directeur de Danone Clover en Afrique du Sud, très motivé, proposa une action destinée aux townships en Afrique du Sud où les produits Danone étaient absents, en raison de leur prix trop élevé et de l'insécurité qui menaçait les vendeurs.

Le produit Danimal fut mis au point, un yaourt aromatisé bon marché au prix « magique » de 1 rand. Pour obtenir un prix aussi bas, une négociation spécifique avait été conduite sur les prix du lait et des ingrédients. Un nouveau concept de distribution fut expérimenté à Soweto. Des femmes du Township furent sélectionnées, recrutées et formées. À chaque « Danilady » fut confiée une « route » où elle faisait du porte à porte. Ce modèle de distribution permet de générer des emplois et de répondre au problème majeur de distribution dans les townships : l'insécurité.

Pour diffuser ces approches un atelier, animé par Laurence Tournerie, fut créé à Djakarta pour former les équipes intéressées du monde entier au *business model* des produits « afford » (*affordable* = bon marché).

Un nouvel élément vint renforcer l'ambition de Danone en matière d'alimentation pour le plus grand nombre. Chaque année a lieu à Evian la journée du président, une réunion où Franck Riboud invite une quarantaine de managers qui ont eu une performance exceptionnelle dans un contexte difficile. Une personnalité est invitée pour stimuler la réflexion des participants à qui l'on demande quels sont leurs rêves pour Danone dans le futur. En 2004, la personnalité invitée était Jacques Attali.

Lors des échanges foisonnants, il lance l'idée que les grandes sociétés de l'alimentation comme Danone pourraient avoir l'ambition d'apporter une nutrition saine aux 2,7 milliards de gens vivant dans le monde avec moins de deux dollars par jour. L'après-midi, des groupes de travail sont formés sur ce qu'ils ont retenu de plus intéressant pour Danone lors des échanges. Les quatre groupes, sans se concerter, mettent en priorité « la nutrition saine pour les gens qui vivent avec moins de deux dollars par jour ».

Franck Riboud, frappé par cette convergence, décide de créer une *task force* intitulée « Dream » consacrée à ce thème. Je la co-anime avec Bernard Giraud, directeur responsabilité sociale. Le noyau dur est constitué d'une dizaine de personnes, des experts et des praticiens. Il s'agit, à partir des projets en Afrique du Sud et en Indonésie, d'étudier comment aller plus loin, c'est-à-dire plus bas dans la pyramide de revenus, pour reprendre l'expression du professeur Prahalad qui avait écrit *The Fortune at the Bottom of the pyramid*, le livre de référence sur le sujet. Le comité de pilotage de la *task force* était composé de Franck Riboud, Emmanuel Faber et Bernard Hours, le directeur général du pôle produits laitiers frais.

L'année 2005 permit d'approfondir les réflexions. L'expertise montra qu'il ne suffisait pas d'avoir des produits bon marché et des circuits de distribution innovants. Il fallait aussi inventer de nouvelles solutions en matière de nutrition répondant aux mœurs alimentaires locales. Pour cela, il était nécessaire de comprendre en profondeur comment les gens des villages pauvres de Java ou de Soweto s'alimentent, quelles solutions ils ont eux-mêmes inventées pour vivre et se nourrir, quelles sont les principales déficiences nutritionnelles de leur alimentation.

Un résultat tangible fut la nouvelle recette élaborée pour Biskuat en Indonésie et commercialisée en décembre 2005. Elle contenait les 9 vitamines et les 6 minéraux recommandés par le Programme alimentaire mondial pour aider les enfants à retrouver rapidement un bon niveau nutritionnel.

Au sein du groupe de travail Dream, le débat se focalisa sur la question suivante : dans les pays émergents, les produits Danone sont achetés par les 10 à 20 % de la population. Grâce à la stratégie accessibilité, type Biskuat, Danone peut atteindre environ un tiers de la population en Indonésie. Mais le modèle de l'entreprise capitaliste tenue à des exigences de rentabilité vis-à-vis de ses actionnaires est-il compatible avec l'ambition de répondre aux besoins nutritionnels des 30 à 60 % de la population selon les pays qui vivent avec moins de deux dollars par jour ?

Avant le déjeuner avec Muhammad Yunus, la réponse était Dream, le pouvoir des rêves : « Même si le sommet de la montagne paraît inaccessible il faut commencer l'escalade. » Avec le concept de *social business*, une voie concrète se dessinait pour gravir la montagne. Encore fallait-il la tester. C'était le pari du projet Grameen Danone.

Cinq semaines après le déjeuner entre Yunus et Riboud, nous partons à Dhaka au Bangladesh pour définir un projet de partenariat. La délégation est conduite par Emmanuel Faber. Font partie du voyage : Gérard Denariaz, directeur projet R&D, Guy Gavelle, directeur industriel Danone en Asie, Ashin Subramanyan, directeur marketing Biskuat et moi-même au titre du projet Dream.

La première journée fut consacrée à l'étude des produits sur les marchés, et à la rencontre avec des industriels locaux de l'alimentation, des nutritionnistes et des ONG. Les entretiens avec la délégation de Grameen commencèrent le deuxième jour. La question centrale était de déterminer quel produit devait lancer l'entreprise sachant que l'objectif commun était un produit qui améliore le régime alimentaire des enfants. 60 % des 160 millions d'habitants du Bangladesh vivent avec moins de deux dollars par jour. La malnutrition prend parfois des formes sévères mais le plus souvent elle est chronique, sous forme de carences en micronutriments tels que vitamines, fer, iode, calcium. Ces éléments nécessaires en petite quantité ont un impact très important sur la santé. Les enfants qui en manquent se développent mal, tant sur le plan physique qu'intellectuel. Fort du succès de Biskuat en Indonésie et de notre rapide étude de marché, notre recommandation fut un biscuit fortifié qui apportait à la fois des calories et les micronutriments essentiels.

Yunus réagit négativement à notre proposition avec des arguments difficiles à réfuter. Il nous donna notre première leçon de *social business* en expliquant :

Dans un *social business*, ce qui compte, c'est la mission. Pour moi, un élément important du partenariat Grameen Danone est de réduire la pauvreté des paysans du Bangladesh en leur offrant des débouchés, or la fabrication des biscuits sera fondée sur de la farine importée.

Le modèle *low cost* de Biskuat repose sur une seule grande usine fabriquant 7 jours sur 7, jour et nuit, un seul produit pour toute l'Indonésie. Le modèle Grameen de microfinance est fondé sur la proximité avec la communauté, puis sur la duplication du modèle dans des dizaines de milliers de communautés. Ma vision est une usine de proximité travaillant en étroite symbiose avec la communauté environnante et livrant directement ses produits à des ladies qui les distribueront autour de l'usine.

Nous étions les bons élèves qui avaient mal compris le sujet et recevaient une leçon de la part d'un maître déçu par notre contre-performance. Emmanuel Faber s'engagea à faire une nouvelle proposition pour le lendemain. La nuit fut intense et la deuxième réunion un complet succès. Nous commençâmes par définir la mission : réduire la pauvreté grâce à un modèle économique de proximité permettant d'apporter quotidiennement des éléments nutritionnels aux populations pauvres.

Pour répondre à cette mission, la proposition Danone reposait sur 3 axes d'action :
– un produit caractérisé par de fortes qualités nutritionnelles : un yaourt fortifié destiné aux enfants, enrichi en micronutriments et qui permettait de répondre à des carences fortes observées au Bangladesh (calcium, fer, zinc, vitamine A) ;
– un modèle fondé sur l'accessibilité aux populations démunies avec l'objectif de vendre le pot de yaourt au prix très bas de 5 takas. La production du yaourt serait réalisée dans une mini-usine de 2 000 tonnes (alors que l'usine standard de Danone dans le monde dépasse 100 000 tonnes) qui vendrait en direct ses produits à des *ladies* qui visiteraient chaque jour des villages dans un rayon d'une vingtaine de kilomètres. Le concept d'usine de proximité trouve dans le cas du

yaourt tout son sens car il évite de créer une coûteuse chaîne de froid avec dépôt et camions réfrigérés ;
– un *social business* impliquant le réinvestissement de la totalité des bénéfices au profit de son développement.

L'accueil de M. Yunus et des dirigeants de Grameen à cette nouvelle proposition fut d'emblée très positive. Il restait à la mettre en œuvre.

La suite de l'histoire a été racontée par Muhammad Yunus dans son livre *Vers un nouveau capitalisme*. Elle a été riche d'enseignements pour les équipes Danone. Je me contenterai de résumer les faits principaux.

En mars 2006, Franck Riboud vient à Dhaka signer l'accord de création de la joint-venture Grameen Danone. Le 8 novembre 2006, l'usine de Bogra, à 200 kilomètres au nord de Dhaka, construite dans un temps record grâce à l'expérience de Guy Gavelle, est inaugurée par M. Yunus et F. Riboud. La présence de Zinedine Zidane à l'inauguration, célébrée par la presse, apporte une notoriété immédiate au Shoktidoi, la marque de yaourt vendue par la nouvelle société.

Les produits sont commercialisés en février 2007, avec l'objectif de livrer Bogra et 500 villages dans un rayon de 25 kilomètres, soit une population totale d'environ 2 millions de personnes.

Le démarrage est difficile, car plusieurs problèmes affectent la qualité des produits et perturbent les ventes. On découvre que les vendeuses Grameen Danone, lorsqu'elles vendaient les produits dans des villages où elles n'étaient pas connues, étaient perçues comme des mendiantes et que beaucoup donnaient leur démission. Le modèle des ventes est revu et à partir d'octobre 2008, les ventes décollent et progressent rapidement. Début 2009, 270 Grameen Ladies commercialisent les produits.

C'est alors qu'un choc arrive et menace l'existence même de l'entreprise. Les pressions inflationnistes provoquent un doublement du prix du lait. En maintenant le prix du yaourt à 5 takas, plus l'entreprise vend et plus elle perd de l'argent. Muhammad Yunus, consulté, recommande d'augmenter les prix car « dans le *social business*, on n'a pas le droit de faire la charité, sans quoi l'activité ne pourra jamais être pérennisée ». Le prix du pot de yaourt passe de 5 à 8 takas, ce qui conduit à un effondrement des ventes et au départ de la plupart des *ladies*. Un travail de fond est alors entrepris avec l'aide des experts de danone.communities. Le prix est diminué en faisant passer le pot de 80 à 60 grammes. En novembre 2009, les ventes redémarrent. Fin 2010, les bases de Grameen Danone sont consolidées mais l'entreprise n'est toujours pas rentable. La question demeure : l'entreprise aurait-elle pu survivre sans l'apport important et gratuit de savoir-faire de la part de Danone et sans l'aide de la trésorerie de Grameen et Danone pour traverser les crises ?

Doit-on avoir des parents riches et compétents pour réussir un *social business* ?

C'est pour répondre à cette question et à quelques autres que Danone a décidé de créer danone.communities.

4. danone.communities (2006)

L'expérience de Grameen Danone montrait combien la commercialisation de produits alimentaires aux populations très pauvres des pays émergents était difficilement compatible avec les critères financiers que Danone applique à ses activités. Si Danone voulait continuer dans cette voie, il fallait dès lors inventer un instrument de financement dédié à la création de *social business*, mais déconnecté de Danone. Le projet piloté par Emmanuel Faber déboucha sur la création du fonds danone. communities.

En décembre 2006, une conférence de presse est organisée au cours de laquelle Franck Riboud et Muhammad Yunus présentèrent le futur fonds. C'était deux mois après l'attribution du prix Nobel de la paix à M. Yunus, ce qui amplifia évidemment la portée de l'initiative et son impact médiatique. Franck Riboud explique que Danone, dans le prolongement du double projet et en cohérence avec sa mission, souhaite mettre en place un fonds visant à promouvoir le *social business*. Il précise : « Il s'agit de favoriser le développement d'entreprises rentables pour assurer leur pérennité mais dont la vocation première est la création de valeur sociétale au bénéfice de ses parties prenantes : consommateurs, employés, communauté locale. »

Muhammad Yunus souligne l'originalité du concept : « Les fondations type *charity business* permettent d'avoir de beaux projets mais, chaque fois que l'on veut les dupliquer, il faut payer. Dans le cas du *social business*, par exemple le modèle Grameen de micro-finance, le déploiement s'autofinance dans la durée. »

Le statut du fonds danone.communities est original. Pour associer un maximum de personnes, il est créé une SICAV dont l'actif sera placé à 90 % en monétaires ou en obligations et 10 % maximum dans un fonds FCPR qui investira dans des *social business*.

Cette cohabitation vise à minimiser les risques des souscripteurs de parts.

Les actionnaires de Danone se voient proposer d'investir leurs dividendes et les salariés leur intéressement et leur participation aux résultats. La SICAV est ouverte au grand public.

L'objectif est de lever entre 60 et 80 millions d'euros sur trois ans, sachant que Danone souscrit 20 millions et son partenaire le Crédit Agricole qui gère la SICAV une somme équivalente.

Danone apporte une dotation annuelle permettant de couvrir les frais de gestion du fonds et les ressources pour conduire les études, les expertises et les missions d'appui aux projets.

Le président du fonds est Franck Riboud et son vice-président Muhammad Yunus. L'approbation du fonds à l'assemblée générale des actionnaires a lieu en avril 2007. Un directeur général est nommé, Emmanuel Marchant, qui était auparavant patron d'une société d'eau de Danone au Mexique. Sa première tâche est de s'attaquer à la situation difficile que traverse Grameen Danone.

En mai 2008, danone.communities réalise son premier investissement dans « 1 001 fontaines ». Cette petite entreprise a été créée par François Jaquenoud, un ex-consultant, et Chay-Lo, un ingénieur cambodgien. Ils ont mis au point au Cambodge un système de purification d'eau par ultraviolet, alimenté par l'énergie solaire qui permet de transformer les eaux des mares et des rivières en eau saine à boire destinée aux 80 % de la population vivant en zone rurale. Chaque fontaine est gérée par un micro entrepreneur habitant le village. Entre 2007 et 2014, le réseau 1 001 fontaines est passé de 7 à 88 stations de purification livrant de l'eau potable dans des bonbonnes de 20 litres à 170 000 bénéficiaires quotidiens. Une plateforme de support technique assure l'entretien des stations et garantit la qualité. L'eau est vendue 1 centime d'euro le litre pour assurer la rémunération de l'exploitant et la redevance à la plateforme. 200 emplois ont été consolidés.

Début 2009, le fonds prend une participation de 25 % dans la Laiterie du Berger créée en 2006 au Sénégal par un vétérinaire franco-sénégalais, Bagoré Bathily. L'objectif initial était de trouver des débouchés et de valoriser le lait des éleveurs peuls du nord du Sénégal, sachant que 90 % du lait consommé dans le pays est importé sous forme de poudre. En 2014, 800 familles d'éleveurs vivent exclusivement de leur production de lait.

Grameen Danone était un projet décidé d'en haut et handicapé par l'absence d'un entrepreneur social sur le terrain. Dans les cas de 1 001 fontaines et de la Laiterie du Berger, danone.communities vient en appui d'entrepreneurs sociaux. La décision d'investir est prise après une étude approfondie débouchant sur une vision partagée de la stratégie et du *business model*. Le partenariat entre entrepreneur social et danone.communities qui apporte des compétences et de l'expertise se révéla dans les deux cas très productif.

Après une période d'apprentissage, la petite équipe animée par Emmanuel Marchant gagne la crédibilité pour convaincre son conseil d'administration de passer à une vitesse supérieure.

Il annonce lors de l'assemblée générale du fonds d'avril 2010, deux ans après sa création, l'objectif d'investir à l'horizon 2011 dans dix projets autour de deux priorités : l'alimentation infantile et l'accès à l'eau potable, là où les modèles économiques classiques fondés sur la demande solvable ne permettent pas de résoudre les problèmes.

Deux projets portent sur l'accès à l'eau potable, l'un est destiné aux populations rurales en Inde en partenariat avec la fondation Naandi, et l'autre s'adresse aux communautés indigènes de la région El Alberto du Mexique, en partenariat avec la fondation Porvenir. Un autre projet vise à améliorer la nutrition des enfants au Sénégal grâce à une barre produite avec des céréales locales. Des initiatives sont également menées en France. Blédina, en partenariat avec la Croix-Rouge et avec l'appui de Martin Hirsch (ancien président d'Emmaüs), teste un dispositif de vente de lait de croissance aux enfants entre six mois et deux ans vivant dans les familles au-dessous du seuil de pauvreté, soit 80 000 enfants qui naissent chaque année dans ces familles. L'idée est d'offrir des coupons de réduction d'environ 40 % du prix aux familles concernées.

Un autre projet, Isomir, a été initié par l'Adie, présidée par Maria Nowak, la pionnière de la microfinance en France. Il consiste à aider les agriculteurs à se regrouper pour créer des micro-ateliers de transformation de leurs produits afin de capter une plus grande part de la valeur ajoutée.

Quel bilan peut-on tirer des projets *social business* ? Voici la réponse d'Emmanuel Marchant lors du séminaire de l'École de Paris du 19 mai 2011 :

> Au bout de quatre ans, nous pouvons commencer à dresser un bilan, même si trois ou quatre projets seulement ont une histoire de plus de quatre ans. Sur les projets les plus anciens, nous avons réussi à trouver de la croissance, mais aucun n'a encore atteint le point mort. Avant la crise nous pensions

atteindre le point mort en 2013. Aujourd'hui, nous pensons que ce sera plutôt en 2014.

Au total, nous touchons un peu plus de 900 000 personnes, dont 600 000 via le seul projet Naandi. Le reste correspond aux trois autres projets historiques, Grameen Danone, La Laiterie du Berger et 1 001 fontaines.

En terme d'appropriation locale, nous avons du mal à passer la main, la fonction marketing, par exemple, est encore trop gérée par Danone, ce qui constitue un frein à l'autonomie des *social business*. Sur le plan du partenariat, le fait que danone. communities soit relativement indépendant de Danone nous a ouvert les portes de nombreux partenaires dont l'aide était indispensable pour mener nos projets à bien. J'ai été agréablement surpris de constater l'ouverture d'esprit du monde des ONG. En revanche, le montage et le fonctionnement de projets sur lesquels interviennent cinq ou six partenaires sont complexes. Nous devons encore travailler pour mettre au point une forme de gouvernance qui ait la même efficacité que celle d'une entreprise classique, tout en restant au service de son ambition sociétale.

Qu'en est-il concernant les retombées pour Danone ?

En allant très loin de nos frontières habituelles, que ce soit en termes de marchés, de clients ou de partenaires, nous avons développé une capacité à innover qui bénéficie à l'ensemble du groupe. Lorsque nous avons construit l'usine de Bogra, nos ingénieurs étaient très sceptiques. Ils n'imaginaient pas qu'une usine aussi petite et aussi bon marché puisse produire autant de tonnes que ce qui était prévu. Aujourd'hui, ce modèle inspire d'autres projets.

De même, nous avons eu beaucoup de mal à convaincre la R&D de travailler sur de nouveaux produits, associant céréales et produits laitiers, et conservables hors chaîne du froid. Mais peu à peu, les chercheurs se sont passionnés pour ces nouveaux sujets : « C'est intéressant, peut-être y a-t-il un bout de l'avenir de Danone qui est là. »

Nous avons aussi découvert que le réseau développé pour mener ces opérations de *social business* a une valeur pour Danone. Aujourd'hui, lorsque nous entrons dans certains pays émergents, nous bénéficions d'emblée d'une bien plus grande confiance de la part des organisations internationales ou des gouvernements : notre démarche nous a ouvert de nouvelles portes.

L'impact de la démarche danone.communities sur la motivation des salariés est fort. Un tiers des salariés français investissent dans la SICAV. Nos projets représentent également un atout pour attirer de jeunes talents. Il arrive d'ailleurs à Franck Riboud de s'en plaindre : « Quand je fais des amphis devant des étudiants, on ne me parle que de danone.communities ! Je dois leur expliquer que la vraie vie, ce n'est pas juste le *social business*. »

En 2014, deux autres enseignements se dégagent : le rôle central de l'entrepreneur social. Parmi les formes de *social business*, la supériorité du modèle comme la Laiterie du berger, 1 001 fontaines ou El Alberto où le fonds vient en appui d'un projet initié par un entrepreneur, sur le modèle comme Grameen Danone ou Naandi où le projet est initié par des partenaires qui recrutent un directeur du projet. L'expérience montre que, dans ce cas, le *social business* aura beaucoup de mal à s'affranchir de la dépendance à l'égard de ses fondateurs.

L'autre enseignement est la force des modèles hybrides reposant sur la complémentarité entre trois acteurs : un entrepreneur social, porteur du projet et désireux d'apprendre, des équipes Danone soucieuses d'adapter leur savoir-faire, et le partenaire local garant des bénéfices sociaux du projet et de l'existence d'un environnement propice à son développement.

5. New Danone (2007)

Dans la même semaine de juin 2007, Danone vend sa division biscuits pour 5,3 milliards d'euros et achète la société hollandaise Numico pour 12,4 milliards d'euros. En affirmant que la santé par l'alimentation était le cœur de la mission, l'activité biscuits devenait problématique pour la stratégie de Danone.

Les biscuits ont une bonne qualité nutritionnelle surtout lorsqu'ils sont enrichis en nutriments mais les produits chocolatés à forte valeur ajoutée ont une vocation de plaisir gourmand. Même en réduisant la teneur en matières grasses ou en sucre, il est difficile de contrer les critiques portant sur l'obésité des enfants.

La vente des biscuits s'inscrivait dans un contexte favorable pour Danone. Kraft rêvait d'acquérir une position solide en Europe, alors que l'équipe de la division biscuits de Danone dirigée par Georges Casala avait mené depuis 2003 un remarquable travail de redressement permettant en conséquence à Danone de négocier un bon prix de cession, ce qui fut réalisé le 22 juin 2007.

L'acquisition de Numico était l'option idéale pour renforcer l'atout santé de Danone. Dans les classements sur l'image santé des grandes entreprises alimentaires auprès des consommateurs, Danone et Numico arrivaient 1er et 2e dans la plupart des pays où les sociétés étaient présentes devant Nestlé et Kellogg's ; les autres grands concurrents Kraft, Unilever, Pepsi, Coca étaient très loin.

Avec Numico, Danone devenait n° 1 européen et n° 2 mondial de l'alimentation infantile derrière Nestlé, sachant que Danone apportait Blédina, le leader français de la catégorie. Numico détenait également une pépite, Nutricia, société dédiée à l'alimentation spécialisée pour les malades et les personnes âgées.

Le nouveau périmètre du groupe est le point de départ d'un renouvellement du comité exécutif. Jacques Vincent, vice-président-directeur général depuis près de dix ans, part à la retraite fin 2007. Lui succèdent deux directeurs généraux délégués : Emmanuel Faber, en charge des fonctions corporate (finance, ressources humaines, secrétariat général, stratégie), et Bernard Hours, en charge des quatre pôles opérationnels : produits laitiers frais, eaux et les deux divisions issues de Numico, alimentation infantile et nutrition médicale – lesquelles représentent 25 % du chiffre d'affaires de Danone.

Furent également recrutés, début 2008, Muriel Pénicaud, nommée directrice générale des ressources humaines, et Pierre-André Térisse, nommé directeur général des finances. Pour ces deux dirigeants, c'est en fait un retour chez Danone après une expérience ailleurs.

La première mission que confia Franck Riboud aux nouveaux directeurs généraux délégués fut de proposer une vision stratégique adaptée au nouveau périmètre de Danone. Un processus de travail s'engagea, intitulé New Danone, dont le moment clé fut la réunion d'Amsterdam en avril 2008, réunissant les 50 principaux dirigeants du groupe.

L'objectif était de préciser, d'enrichir, de mettre en œuvre la vision stratégique de Danone pour les années à venir en cohérence avec la mission du groupe.

Dans le champ de l'innovation sociale et sociétale, l'objet de ce livre, trois initiatives eurent un fort impact sur le management des sociétés de Danone.

La définition d'une stratégie Nature

Les axes prioritaires sont définis où l'impact environnemental des activités de Danone est le plus significatif. Une direction générale Nature est créée, animée par Myriam Cohen-Welgryn en charge de cinq missions : la protection des ressources en eau, le recyclage des emballages, le réchauffement climatique lié aux émissions de CO_2, le soutien à une agriculture respectueuse de l'environnement, la protection de la biodiversité.

En matière de ressources en eau, il s'agit de réduire la consommation en eau, de protéger les ressources Danone en eau et plus largement de contribuer à la protection des ressources en eau dans le monde.

Dans ce but, Danone est partenaire de la convention de Ramsar (Iran) qui promeut la protection des zones humides et la conservation des ressources en eau.

En matière d'émission de CO_2, l'ambition fixée en 2008 était de réduire l'empreinte CO_2 par kg de 30 % d'ici 2012. La réalisation de cet objectif s'est traduite par la création d'un instrument pour mesurer l'empreinte carbone complété par des plans d'actions par société. Evian est un bon exemple. La société s'est fixé l'objectif d'être la première marque d'eau minérale à pouvoir affirmer sa neutralité en matière d'émission de CO_2 en utilisant deux leviers : la réduction des émissions et la compensation carbone.

Trois actions ont permis de réduire d'un tiers en quatre ans les émissions : l'utilisation croissante de PET, produit à partir de bouteilles recyclées, l'allègement du poids des bouteilles et la préférence donnée systématiquement au rail par rapport à la route.

La compensation carbone a permis de couvrir les deux autres tiers de l'objectif de réduction des émissions CO_2. Dans cette perspective, il est créé en 2008 le fonds Danone Nature qui conduit des programmes de compensation carbone.

La mobilisation des Danoners

Dans la première partie des années 2000, Danone a eu tendance à privilégier le champ sociétal plus que les initiatives sociales tournées vers les salariés. Avec New Danone, l'entreprise entend réaffirmer l'importance du développement et de la contribution de tous les salariés et de s'en donner les moyens. La première mesure, symbolique, est d'appeler tous les salariés des Danoners. Ce nouveau nom souligne que chacun est « citoyen » de Danone, quel que soit son statut, quel que soit son pays. Il supprime aussi le clivage managers/non-managers qui conduit à désigner 90 % des salariés par la négative. En corollaire de cette décision, il est décidé que l'enquête qui a lieu tous les deux ans auprès des managers sera réalisée auprès de tous les Danoners, soit 100 000 personnes au lieu de 12 000.

L'action principale est la création du Danone Leadership College, un « collège » sans mur, dont la vocation est de former tous les managers du groupe, quelque 15 000 personnes, à promouvoir des attitudes de travail qui favorisent le développement individuel et l'implication collective.

Un nouveau système de rémunération des cadres dirigeants

La part variable des directeurs et dirigeants (le bonus) était à 100 % indexée sur la réalisation des objectifs économiques. Elle prend désormais aussi en compte la réalisation d'objectifs de management et la réalisation d'objectifs sociaux et sociétaux, par exemple des progrès en matière de sécurité du travail ou de réduction des émissions CO_2.

Danone Way en 2000 était une initiative de responsabilité sociale périphérique par rapport au cœur du business. Avec la mission New Danone, le positionnement sociétal de Danone devient une dimension de sa stratégie et de son modèle de performance. La vocation de l'entreprise n'est plus seulement la croissance rentable, elle s'élargit à des objectifs sociétaux qui sont au cœur de ses activités : une alimentation saine pour le plus grand nombre, la protection des ressources en eau, la réduction des émissions CO_2, le recyclage des emballages, etc.

9

La création de valeur sociétale

Les crises ont le mérite de questionner les certitudes et de provoquer des ruptures. La crise de 2009 questionne le dogme de la création de valeur pour l'actionnaire et celui de la responsabilité des grandes entreprises à l'égard de la société. Elle a fait émerger de nombreuses initiatives autour de l'idée d'un nouveau partenariat entre les grandes entreprises et les acteurs de la société. Danone s'engage sur cette voie dès 2009 avec le fonds Écosystème, puis en 2011 et en 2015 avec les fonds Livelihoods. Ces actions ont en commun la démarche de co-création de la valeur sociétale avec les acteurs de l'environnement.

En quelque sorte, d'appliquer à l'environnement proche du groupe, la démarche du double projet.

1. La création du fonds Danone Écosystème (2009)

Septembre 2008 : la faillite de la banque Lehman Brothers précipite les États-Unis et l'Europe dans la crise économique la plus grave depuis la Seconde Guerre mondiale. C'est l'occasion d'un grand examen de conscience sur les dérives du capitalisme financier. C'est dans ce contexte que Franck Riboud prend position dans une tribune au journal *Le Monde* datée du 3 mars 2009, intitulée « Le rôle de l'entreprise dans notre société ». Il annonce une initiative importante : la création du fonds Danone Écosystème. Par l'ambition et la nature du propos, il s'inscrit explicitement dans la continuité du discours de Marseille et du double projet.

> Pour le chef d'entreprise que je suis, la période dans laquelle nous sommes entrés soulève de manière particulièrement vive une question longtemps occultée et qu'il me paraît nécessaire d'affronter : celle du rôle de l'entreprise dans notre société.

Pendant de nombreuses années, qu'on s'en félicite ou qu'on le déplore, il était communément admis qu'une entreprise cotée avait pour seule finalité de générer une valeur maximale et toujours croissante pour ses actionnaires. Cette conception étroite du rôle de l'entreprise nous a conduits dans l'impasse et c'est pour moi une des leçons majeures de la crise.

D'abord parce que la recherche de la maximisation du profit n'est mécaniquement pas durable : à force de se laisser griser par des taux de rendement de 10, 15, puis 20 et pourquoi pas 25 %, on oublie simplement qu'il y a une limite physique au-delà de laquelle le château de cartes s'écroule. Cette limite, nous venons brutalement de la toucher.

Ensuite parce que cette attitude a distendu de manière préoccupante les liens de l'entreprise avec ses autres parties prenantes : ses fournisseurs, ses salariés, ses clients, les territoires dans lesquels elle opère. Tous participent pourtant au processus de création de richesse et certains peuvent avoir le sentiment que leurs intérêts sont parfois ignorés.

Les évolutions de la crise actuelle nous rappellent pourtant cruellement une évidence de plus en plus imparable : celle de l'interdépendance des différents secteurs, des différentes entreprises, des différentes parties prenantes. Elles nous rappellent non seulement que la crise peut se propager en quelques semaines de la sphère financière à la sphère industrielle, de Wall Street à Shanghai ou Marseille, mais elles nous rappellent aussi qu'une entreprise, même prospère, vivant dans un environnement fragile se fragilise elle-même. Elles nous rappellent ainsi qu'on ne peut faire l'économie d'une forme de solidarité entre acteurs. Elles nous rappellent le bon sens : qu'aucun organisme ne se développe dans un milieu appauvri ou dans un désert. Et qu'il est donc de l'intérêt même d'une entreprise de prendre soin de son environnement économique et social, ce qu'on pourrait appeler, par analogie, son « écosystème ».

En d'autres termes, une entreprise doit créer de la valeur pour ses actionnaires car sans leur investissement, il n'y a pas d'économie. Mais au même titre qu'elle doit créer, à travers ses propres investissements, de la valeur et de la richesse pour ses autres parties prenantes. Car c'est aussi du développement et du bien-être de son environnement que dépend sa pérennité. Et c'est de cette manière qu'elle acquiert son utilité sociale.

La question n'est donc pas de savoir s'il faut ou non faire du profit : un dirigeant qui oublierait qu'un niveau de profit satisfaisant est le premier

critère de succès et de durabilité conduirait l'entreprise à sa perte. La question est de savoir comment
on construit son profit dans la durée et comment
on l'investit en tenant compte des contraintes et
des intérêts de ses différentes parties prenantes. En
un mot, efficacité et protection, court terme et long
terme, intérêts individuels et bien-être collectif...
Cette gestion des équilibres est à la base même du
double projet économique et social qui anime les
équipes de Danone depuis bientôt quarante ans.
Elle est dans nos gènes.

En interne, en direction de nos salariés, c'est elle qui
a inspiré des pratiques pionnières en matière de formation, de dialogue social international ou d'intéressement et de participation. Elle n'a pas empêché
l'entreprise de constamment travailler à améliorer
son efficacité. Parfois, c'est vrai, en prenant, lorsque
c'est absolument nécessaire, des décisions difficiles
en matière d'emploi. Mais parce que nous savons
précisément que ce type de décision doit se prendre
quand l'entreprise a le temps et les moyens d'en
prévenir et d'en gérer avec responsabilité les conséquences sociales et humaines. En clair, quand elle
fait des bénéfices. Pas quand elle va déjà mal et
qu'elle ne peut plus faire face à ses responsabilités.

En externe, cette conception de l'équilibre entre
économique et social est à l'origine de nos pratiques

environnementales et d'initiatives sociétales comme notre engagement aux côtés de Muhammad Yunus. C'est aussi elle qui motive la réflexion que nous menons sur la manière dont une entreprise peut stimuler le développement économique et social dans son écosystème : chez ses fournisseurs, ses sous-traitants, dans son bassin d'emploi.

Nous avons déjà développé dans plusieurs endroits du monde des structures de développement économique local mais au moment où l'environnement des entreprises montre combien il peut être fragilisé rapidement, nous pensons qu'il faut systématiser cette démarche, lui donner plus d'ampleur et de pérennité.

C'est la raison pour laquelle nous avons décidé de proposer à nos actionnaires de créer une entité spécifique, un fonds de dotation dédié au développement et au renforcement de notre écosystème.

Entièrement financé par Danone, ce fonds sera alimenté par une dotation initiale de 100 millions d'euros complétée par un abondement annuel de un pourcent de notre bénéfice net. Il financera des initiatives diverses identifiées par nos filiales dans les territoires où nous opérons : programmes de développement de compétences chez nos fournisseurs locaux, créations d'activités en lien avec nos métiers (micro-entreprises de distribution alimentaire par exemple...), programmes d'insertion à l'emploi autour de nos usines... Ce ne sera pas un fonds d'urgence ou de recapitalisation mais au contraire une initiative pour prévenir les situations de crise. Ce ne sera pas non plus un outil pour financer d'éventuels plans de compétitivité de nos sites. Ni la solution de tous les problèmes. Simplement une initiative pour renforcer le tissu économique dont nous faisons partie et avec lequel nous entretenons une relation de dépendance mutuelle. Si nos actionnaires confirment leur accord sur ce projet lors de leur prochaine assemblée générale, nous contribuerons, je crois, à notre niveau et sans prétention excessive, à ouvrir de nouvelles perspectives et à redonner justement du sens à l'entreprise, à son rôle dans l'économie et dans la société. C'est en tout état de cause ma responsabilité de chef d'entreprise de m'y employer.

Cette tribune est l'aboutissement d'une réflexion qui a commencé juste après la crise de septembre 2008. Son point de départ est la volonté de Danone d'affirmer son engagement sociétal face à un environnement qui souffre. Mais quoi faire ? Quelle réponse forte et originale compte tenu de la violence de la crise ? L'échange d'idées a lieu dans un petit cercle, Franck Riboud, Emmanuel Faber et Muriel

Pénicaud. Fin novembre, le contour du projet est défini autour de trois idées :
– l'action concernera l'environnement proche et pertinent de Danone : son écosystème. Par exemple les producteurs de lait, la petite distribution dans les pays émergents ou encore les territoires fortement impactés par la présence des usines Danone ;
– la démarche gagnant-gagnant du double projet sera étendue à l'écosystème en partant du postulat qu'en renforçant son tissu économique, l'entreprise construit sa croissance sur des bases plus solides dans la durée ;
– un fonds sera créé, doté de 100 millions d'euros, dédié au financement d'initiatives qui renforcent les acteurs vulnérables de l'écosystème de Danone et permettent ainsi de consolider et créer des emplois.

Début décembre, je suis chargé de tester l'idée du fonds écosystème auprès de personnalités qualifiées, notamment des représentants des principaux fonds d'investissements qui sont actionnaires de Danone. L'objectif est d'arriver à la réunion du conseil d'administration du 19 décembre 2008 avec une proposition argumentée qui intègre les objections.

J'avais fait une étude similaire en amont du projet danone.communities et je m'attendais à ce que les représentants des investisseurs que j'allais à nouveau interroger aient une réaction plutôt réservée sur l'intention de Danone de consacrer 100 millions d'euros à un nouveau fonds, alors qu'ils avaient déjà été sollicités dix-huit mois plus tôt et que l'année 2009 s'annonçait incertaine pour les résultats du groupe compte tenu de la crise. En fait, l'idée fut bien accueillie par la plupart d'entre eux. Plusieurs soulignaient qu'ils seraient méfiants à l'égard d'une entreprise qui sortirait de son chapeau un projet qui sollicite autant les actionnaires. Dans le cas de Danone, ils comprenaient que ce fonds s'inscrivait dans sa stratégie économique et sociétale et dans la continuité de Danone Way et de danone.communities. Certains approuvaient cet engagement, d'autres étaient plus réservés, mais ils reconnaissaient la cohérence de l'initiative du fonds Écosystème avec la culture Danone, sa stratégie et le contexte de la crise.

Fort de ce test favorable auprès des investisseurs, Franck Riboud présente le projet au conseil d'administration du 19 décembre qui l'approuve.

Le 3 mars, Franck Riboud annonce officiellement le lancement du fonds avec sa tribune du journal *Le Monde* et le 25 avril 2009, l'assemblée générale de Danone approuve à 98 % la création du fonds Danone Écosystème.

Muriel Pénicaud est nommée présidente et Philippe Bassin, directeur des achats, est nommé directeur général. Cette mise en avant de la fonction achat souligne le projet de transformation porté par le fonds en premier lieu dans la relation avec l'agriculture familiale. Ce double rattachement traduit la double vocation des projets Écosystème de créer de la valeur à la fois économique et sociale. La gestion opérationnelle est déléguée à une petite équipe internationale dirigée par Jean-Christophe Laugée. Je pars à la retraite fin 2009 et suis nommé conseiller du fonds, fonction que j'occupe toujours en 2015.

Un conseil d'orientation est créé pour définir les priorités et piloter la stratégie du fonds. Franck Riboud en est le président. Pascal Lamy, directeur général de l'Organisation mondiale du commerce et Martin Hirsch, à l'époque haut-commissaire à la Solidarité et à la Jeunesse, acceptent d'en être les vice-présidents.

2. Les projets Écosystème de Danone

Le premier projet Écosystème est approuvé par le « comité innovation sociale » en novembre 2009. Cette instance, composée d'une dizaine de dirigeants, est représentative des métiers et des géographies de Danone. Elle se réunit tous les trimestres. Sa mission est d'évaluer la pertinence et la qualité des projets qui lui sont soumis, de s'assurer de la qualité du partenaire à but non lucratif à qui sera versée la dotation, ainsi que de tester le bien-fondé du financement demandé. En créant cette instance de gouvernance, le groupe positionne l'écosystème au cœur de sa stratégie. Les exemples suivants illustrent les principaux champs d'intervention du fonds Écosystème.

Le champ le plus important porte sur la relation avec les producteurs de lait. Selon les pays, les enjeux sont de nature différente.

Dans beaucoup de pays émergents, il s'agit de construire une filière de production de lait locale au standard de qualité nutritionnelle requis par Danone au lieu d'importer du lait en poudre principalement de Nouvelle-Zélande. C'est le cas de pays comme l'Ukraine, l'Égypte, l'Algérie ou l'Indonésie.

Les producteurs laitiers ukrainiens sont très pauvres, beaucoup ne possèdent que quelques vaches produisant un lait de faible qualité. En partenariat avec Heifer International, une ONG basée à Little Rock en Arkansas, spécialisée dans le développement des communautés rurales, le projet a consisté à monter des coopératives laitières qui assurent une collecte de lait sécurisée grâce à l'apport de nombreux services et équipements : fourrages de qualité, services vétérinaires et génétiques, formation ainsi que le financement des salles et du matériel de traite. Fin 2012, 14 coopératives ont été créées regroupant environ 2 000 adhérents. Danone Ukraine s'engage auprès des fermiers à acheter leur production s'ils le souhaitent sachant qu'ils sont encouragés à diversifier leurs débouchés et à développer une autre activité pour réduire leur dépendance à l'égard de Danone. Le résultat est une augmentation moyenne de 30 % du revenu des fermiers liée à l'augmentation sensible de la qualité et du volume de lait produit. Danone et Heifer ont ainsi créé un nouveau modèle de coopération qui doit permettre aux petits agriculteurs de devenir compétitifs face aux grandes fermes issues des kolkhozes. Ce modèle n'allait pas de soi. Sa mise au point s'est appuyée notamment sur une étude ethnographique menée par l'EHESS (École des hautes études en sciences sociales) visant à mieux comprendre les relations entre les différents acteurs et leur vécu du projet. L'impact est réel dans le pays, tant au niveau du ministère de l'Agriculture que du monde agricole et suscite un sentiment très positif à l'égard de Danone en Ukraine.

En Égypte, il existe une forte demande de lait qui est en grande partie importé. Pour répondre à ses besoins en lait, Danone Égypte, qui se développe rapidement, avait le projet de créer une grande ferme de 5 000 vaches pour sécuriser une partie de son approvisionnement en volume et en qualité. La société a revu son projet en dialoguant avec les autorités locales et en intégrant la démarche écosystème. Après une étude menée par l'ONG américaine Care, dont la mission est la lutte contre la pauvreté, il est décidé de construire une ferme de 2 500 vaches et de compléter la collecte auprès de petits éleveurs locaux et de petites coopératives. Pour améliorer leur production en volume et en qualité, il leur est apporté de l'expertise et de la formation. Simultanément, des centres de collecte sont installés dans plusieurs villages, gérés par des coopératives qui bénéficient d'une assistance de Care pour leur gestion.

En France, le contexte est en forte évolution avec la perspective de la suppression des quotas en 2015. Le principal enjeu est le prix de revient du lait qui conditionne le revenu des éleveurs. Les producteurs de lait vont devoir affronter la concurrence des fermiers hollandais, allemands et danois très compétitifs, tout en gérant des exigences environnementales croissantes.

La société Danone France a monté un projet avec l'Institut de l'élevage pour renforcer la filière lait dans le Sud-Ouest, qui est l'une des régions où l'économie laitière est fragile. Un programme de formation des fermiers à la gestion et à l'économie agricole a été mis au point suite à une étude des besoins menée auprès des intéressés par un sociologue. Il s'agit d'aider plusieurs centaines de producteurs de la zone de collecte de l'usine de Villecomtal à se développer et à devenir plus compétitifs. Depuis 2011, le projet a été étendu à l'ensemble des zones de collecte. Chemin faisant, ce projet orienté vers les producteurs de lait est devenu un projet également tourné vers les consommateurs. Les études marketing montraient qu'utiliser du lait frais était synonyme de santé et de sens pour les consommateurs. Pourtant la majorité d'entre eux ignoraient que le yaourt Danone était fait avec du lait frais produit par des éleveurs qui avaient un contrat d'exclusivité avec l'entreprise en contrepartie d'exigences très élevées sur les qualités nutritionnelles du lait. Dès lors, ce projet est également devenu un thème de différenciation auprès des consommateurs. Cela s'est concrétisé notamment par un nouveau pot pour les yaourts nature indiquant « Au lait de nos éleveurs », relayé par un site internet sur lequel les éleveurs expliquent dans des vidéos ce qu'est leur métier.

Un deuxième champ d'intervention du fonds porte sur le recyclage des bouteilles et des bonbonnes d'eau en plastique puis la réutilisation du PET dans la fabrication. Cette démarche d'économie circulaire dans la production d'emballage de boissons est un pilier de la démarche écosystème et une priorité du groupe en matière d'environnement. Dans beaucoup de pays émergents, cette collecte est assurée dans des conditions sanitaires et sociales déplorables par des chiffonniers. Ils ramassent les emballages et les apportent dans des décharges où ils sont triés et revendus à bas prix à des intermédiaires qui les revendent à leur tour aux entreprises de transformation des déchets. Dans quatre pays : Argentine, Brésil, Indonésie et Mexique, Danone a lancé des projets qui consistent à organiser les chiffonniers en groupes de coopération autogérés, à créer un lieu de tri offrant des conditions sanitaires correctes, à installer des machines permettant la transformation des emballages en billes de plastique qui sont achetées par les fabricants d'emballages, dont beaucoup sont des fournisseurs de Danone. Ces projets sont complexes à gérer. Ils dérangent les intermédiaires parfois organisés en corporations aux pratiques souvent mafieuses qui sont désormais court-circuités. Ils ont un fort impact en termes d'emplois et d'amélioration des conditions de vie de leurs communautés. Des milliers de personnes en bénéficient, sachant que ces projets s'accompagnent d'une couverture sociale des intéressés sous la seule condition de la scolarisation de leurs enfants. Menés par les sociétés Danone locales toujours avec le concours d'ONG, ils permettent, au-delà de la protection de l'environnement, d'économiser l'énergie et de mieux couvrir les besoins en PET recyclable. Partout le démarrage a été difficile. En 2014, c'est un succès au nord du Mexique dans la région de Mexicali et au Brésil dans le Minas Gerais, en voie de consolidation en Argentine et en Indonésie. Une condition essentielle est de trouver des partenaires (collectivités locales et ONG) efficaces et intègres.

Un troisième champ porte sur la création de réseaux de micro-distribution dans des quartiers difficilement accessibles par les circuits de vente existants tout en favorisant l'insertion de personnes vivant dans l'économie informelle. Danone à Mexico a expérimenté avec l'ONG Ashoka le projet Semilla. Un modèle consistant à proposer à des femmes élevant seules leurs enfants et disposant de faibles revenus de vendre de l'eau et des yaourts. Il a permis la création de plusieurs centaines d'emplois grâce à la livraison de produits à domicile. Les femmes sont recrutées au sein de leur quartier et protégées contre la violence des gangs par leur communauté qui les connaît.

En appui de ce projet, il a été mis en œuvre un accompagnement de ces femmes marginalisées sous la forme d'une formation à la vente et d'un coaching personnalisé. Cette action financée par le fonds change la dimension du projet. Elle a permis à certaines de ces femmes d'être embauchées chez Danone, ce qui n'était a priori pas possible en raison de leur absence de qualification.

Des projets similaires sont mis en œuvre au Brésil, en Égypte et en Indonésie. En Algérie, il a été créé avec la chambre de commerce et le groupe Cevital une école des ventes destinée à donner une nouvelle chance aux jeunes chômeurs non diplômés, partant du principe que dans tous ces pays les besoins en vendeurs compétents sont immenses.

Un quatrième champ concerne les projets relatifs au développement des territoires où sont implantées les principales usines d'embouteillage de Danone inspiré de l'expérience d'Evian dans le Chablais. Volvic, associé avec l'Adie, a lancé un projet de développement local fondé sur le soutien aux candidats entrepreneurs installés dans son territoire. Aqua en Indonésie a mis en œuvre autour de l'usine de Klaten des projets de développement de la riziculture avec une ONG et des experts agronomes qui visent à la fois l'amélioration du revenu des paysans et le développement d'une agriculture non polluante et moins consommatrice en eau qui favorise la protection de la nappe phréatique. Un projet similaire est développé en Chine dans la province du Guangzhou.

3. Premiers enseignements d'Écosystème

Fin 2014, une cinquantaine de projets sont en cours dans 38 sociétés de Danone et 21 pays, pour un financement qui varie dans une fourchette de 300 000 à 3 millions d'euros. Après les années d'apprentissage, plusieurs projets sont arrivés à maturité. Il est prématuré de faire un bilan, mais des premiers enseignements peuvent être dégagés, concernant la gouvernance des projets, leurs impacts sociaux pour les bénéficiaires et leur intérêt économique pour Danone.

La co-création, clé de la réussite des projets

Dès le lancement du fonds, il a été décidé que tous les projets Écosystème seraient menés avec un partenaire qui devait être une organisation à but non lucratif : ONG, association, institut public dans le domaine de l'éducation ou de la santé, etc. Ce choix est conforme au statut de fonds de dotation adopté pour le fonds Danone Écosystème. Ce nouveau statut créé en 2008 (Danone a été le deuxième à le choisir après le musée du Louvre) a pour objectif de favoriser les initiatives à caractère d'utilité publique, sans imposer la lourdeur d'une fondation. Pour veiller à la dimension d'intérêt général des projets, il est donc décidé que l'argent destiné à les financer serait systématiquement versé à un partenaire dont le statut était celui d'une organisation à but non lucratif. La conséquence de ce choix est essentielle : tous les projets Écosystème doivent être co-créés puis cogérés avec le partenaire concerné qui est l'interface entre la société Danone et les bénéficiaires.

Ce principe a été la source d'une plus grande complexité dans la gestion des projets, mais aussi la clé de la réussite de beaucoup d'entre eux. Complexité, car le chef de projet Danone doit ajuster ses objectifs avec ceux de ses partenaires, sachant que par nature, ils sont différents. Là où le responsable achat lait raisonnera volume, prix et qualité du lait, l'ONG tendra à accorder la priorité au nombre d'éleveurs formés ou le nombre de micro-crédits accordés. Une autre différence parfois frustrante est le rapport au temps. Dans l'entreprise, le respect des délais est synonyme d'efficacité. Chez les partenaires, c'est une contrainte car l'important n'est pas le respect du temps mais la qualité de la phase d'apprentissage dont la durée doit s'adapter aux circonstances.

De fait, la plupart des premiers projets ont pris en moyenne un an de plus que ce qu'avaient estimé au départ les managers de Danone. La contrepartie de cette complexité liée aux frottements entre culture managériale et culture sociale a été que les projets co-créés tiennent mieux compte des enjeux réels, offrent des réponses mieux adaptées et sont plus légitimes auprès des bénéficiaires. Dans beaucoup de situations, notamment dans les pays émergents, le partenaire est un médiateur indispensable tant la distance culturelle est grande entre la culture d'une entreprise internationale et celle des petits éleveurs égyptiens ou des groupements de chiffonniers mexicains. Sans relais reconnu et légitime, une entreprise internationale aura le plus grand mal à se connecter avec son environnement.

Dans le cadre du fonds, les sociétés de Danone travaillent avec une quarantaine de partenaires dont Ashoka, l'Adie, Care, le Cirad, Heifer International, l'Institut de l'Élevage, Siel Bleu, Sustainable Food Lab ou Technoserve.

Ces partenariats sont essentiels pour assurer la pérennité des projets sachant que l'engagement financier du fonds dépasse rarement cinq ans. La clé du succès est la qualité de la gouvernance du projet. Ensemble, le partenaire et la société Danone concernée sont beaucoup plus forts pour attirer les financements relais qui assurent la continuité de l'initiative dans la durée. En 2014, ces financements complémentaires représentent 40 % de l'apport du fonds. Les évaluations portant sur la pérennité des projets montrent qu'au moins les deux tiers d'entre eux continueront d'exister de nombreuses années au-delà du soutien financier du fonds.

L'*empowerment* des bénéficiaires : clé de l'impact social des projets

En 2013, une dizaine d'études d'impact ont été confiées à des organismes indépendants afin de permettre d'évaluer concrètement l'impact social des projets, notamment en terme d'emplois créés, d'employabilité et d'amélioration des revenus des bénéficiaires. Un premier constat qui se dégage est que le levier principal du progrès de la performance des acteurs (éleveurs, vendeurs de rue, etc.) est l'*empowerment* des acteurs. Au cœur de cette notion l'idée de faire grandir les acteurs en les aidant à devenir plus autonomes et à prendre des initiatives.

Les progrès sont plus importants lorsque l'*empowerment* s'exerce à la fois au niveau des individus et à celui des communautés (coopératives, groupements). Un fait remarquable est que, dans de nombreux cas, les bénéficiaires sont des femmes. Ce constat est à mettre en relation avec l'expérience de la micro-finance au Bangladesh où les micro-crédits sont exclusivement accordés aux femmes et distribués par les femmes. Dans beaucoup de projets, un organisme a été créé en charge de développer l'*empowerment* : institut de formation et de conseil pour les vendeurs de proximité du secteur informel, fermes pilotes, coopératives, centres de traitement du lait gérés par des techniciens conseils…

L'*empowerment* est la source principale des progrès vécus par les bénéficiaires qui prennent plusieurs formes : emplois consolidés, meilleure rémunération, meilleures conditions de travail, accès à la formation et employabilité.

L'approche écosystème : un atout compétitif pour Danone ?

Le fondement économique de la démarche écosystème est l'idée que la performance d'une entreprise repose sur la totalité de la chaîne de valeur incluant donc en amont ses relations avec ses fournisseurs, en aval avec la distribution et plus largement les acteurs de la collectivité avec lesquels elle interagit.

L'invention de nouvelles pratiques de collaboration avec ses différents partenaires fondées sur le principe du mutuel avantage est un champ nouveau pour les entreprises. Les projets Écosystème sont des laboratoires d'expérience qui permettent d'expérimenter de nouveaux modèles de travail. C'est notamment le cas pour l'agriculture, avec la mise au point de modèles de production de lait et de fruits fondés sur l'*empowerment* des agriculteurs et des coopératives.

C'est aussi le cas dans l'eau, avec la création de modèles de développement durable visant à économiser et protéger les ressources en eau en partenariat avec les communautés agricoles.

D'autres domaines d'innovation couvrent les filières de recyclage des emballages, les circuits de vente de proximité dans les pays émergents ou de nouveaux services aux personnes âgées dans le cadre d'un partenariat avec l'association Siel Bleu en Espagne et en France.

Un travail a été entrepris pour évaluer l'intérêt économique pour Danone des projets Écosystème. Une partie des résultats est simple à évaluer car ils peuvent être quantifiés : volumes de lait achetés, tonnes de plastique recyclé ou encore chiffre d'affaires réalisé par les nouveaux circuits de distribution. À l'inverse, il est difficile d'évaluer l'impact

des projets sur les comportements des fournisseurs, des consommateurs, des salariés de Danone
et des acteurs de la société. C'est pourquoi un
partenariat a été engagé avec la chaire d'HEC :
« *Social business*, Entreprise et Pauvreté », créée en
2009 à l'initiative de Danone et Schneider suite à
l'interpellation de Martin Hirsch, co-président de
la chaire avec Muhammad Yunus : « C'est bien
d'aider les pauvres des pays émergents mais la pauvreté existe aussi en France. » Elle est dirigée par
Frédéric Dalsace et Bénédicte Faivre Tavignot. La
méthode mise au point vise à mesurer l'impact
des projets Écosystème sur les parties prenantes
(consommateurs, fournisseurs, salariés Danone,
acteurs de l'environnement) et d'en évaluer les
bénéfices perçus par l'entreprise.

Voici quelques exemples de bénéfices que cette
méthode doit permettre d'évaluer :
– l'impact auprès de consommateurs ukrainiens ou
français d'une marque qui aide l'agriculture familiale
à se renforcer ;
– l'impact sur la motivation des salariés mexicains
et sur l'image employeur de Danone au Mexique de
projets qui aident des milliers de femmes marginalisées à s'intégrer par le travail ;
– l'impact sur les autorités locales en Indonésie de
projets co-créés avec les communautés agricoles qui

améliorent leurs revenus, sécurisent la qualité de l'eau et son exploitation dans la durée.

Plus largement, la création de relations de confiance avec les acteurs publics et privés, fondées sur des projets porteurs d'intérêt général comme la modernisation de la filière de l'élevage, le retraitement des déchets, la réduction des importations de lait en poudre ou l'insertion dans l'économie de personnes sans ressource.

Cette mesure d'impact doit permettre de mieux objectiver le bilan de chaque projet Écosystème et de hiérarchiser leur intérêt en vue d'un éventuel déploiement.

Elle n'évalue pas l'approche écosystème en soi qui est beaucoup une affaire de conviction sur le rôle des entreprises. Les dirigeants qui adhèrent le plus fortement à cette démarche ont la conviction que dans les années qui viennent, les valeurs qui sont attachées à l'idée d'écosystème : proximité, responsabilité, sens, solidarité, citoyenneté, *empowerment*, seront un axe de différenciation de plus en plus important pour la réputation des entreprises et pour les marques qui auront la légitimité de s'y référer.

Des atouts d'autant plus forts qu'ils ne sont pas faciles à imiter.

301

4. Livelihoods (2011 et 2015)

Le fonds Carbone Livelihoods (2011)

En 2008, il avait été créé, dans le cadre du projet New Danone, le fonds Danone Nature dédié à la compensation carbone. Son premier projet, financé par Evian, avait été la restauration des mangroves en Casamance (Sénégal) avec l'association sénégalaise Oceanium. L'objectif était de séquestrer 150 kilo-tonnes de CO_2 sur une période de dix ans et simultanément de dynamiser l'économie locale basée sur la pêche côtière. En trois ans, le programme a permis de replanter plus de 100 millions de palétuviers avec l'aide de 80 000 villageois. Fort du succès de cette expérience, le directeur du fonds, Bernard Giraud, propose de créer un nouveau fonds qui soit ouvert à des partenaires pour accroître son impact. En 2011, est créé Livelihoods. Son objet est d'investir dans des projets de crédit carbone associés à des actions d'aide aux communautés rurales. Ses principaux domaines d'activités sont la restauration des mangroves et l'agroforesterie. Le fonds mobilise 40 millions d'euros apportés par dix entreprises : Danone, Crédit Agricole, Schneider Electric, SAP, Firmenich, Michelin, La Poste, Hermès, La Caisse des dépôts climat et Voyageurs du monde. Elles obtiennent des crédits-carbone certifiés en proportion de leur investissement. En 2014, Livelihoods finance sept grands projets au Sénégal, au Kenya, en Indonésie, en Inde, en RD du Congo et au Guatemala. Ils ont permis de planter 130 millions d'arbres, le stockage de 8 millions de tonnes CO_2 et la génération de revenus pour les communautés rurales concernées.

Le fonds Livelihoods
pour l'agriculture familiale (2015)

Un enseignement majeur de Livelihoods était que l'amélioration des pratiques agricoles des petits cultivateurs était une clé de la réussite des projets carbone. Une action appropriée auprès des communautés rurales pouvait simultanément augmenter la production agricole et contribuer à restaurer l'environnement. Forts de ce constat, Danone et Mars annoncent, le 3 février 2015, la création d'un fonds dédié à l'approvisionnement agricole durable des entreprises auprès d'exploitants familiaux. Le fonds prévoit d'investir 120 millions d'euros sur les dix prochaines années en Afrique, en Asie et en Amérique latine avec l'objectif d'aider 200 000 exploitations et 2 millions de personnes vivant dans les communautés rurales. Il financera des projets de mise en œuvre de nouvelles pratiques agricoles qui permettent à la fois d'augmenter la production, d'améliorer les revenus des exploitants et de restaurer la fertilité des sols contre l'érosion et la déforestation. Le retour sur investissement pour les entreprises repose sur l'achat des produits agricoles, par exemple le lait pour Danone ou le cacao, le thé, le café et le riz pour Mars, complété par des impacts mesurables sur l'écosystème tels que les crédits-carbone ou la qualité de l'eau potable.

Le rapport Faber-Naidoo

Le succès du projet Sénégal avait servi de déclic au fonds carbone Livelihoods. Dans le cas du deuxième fonds Livelihoods, le rapport Faber-Naidoo a été un important catalyseur. En 2013, le ministère français des Affaires étrangères et du Développement international demande à Emmanuel Faber et Jay Naidoo de réfléchir à l'innovation en matière d'aide au développement. Jay Naidoo est un ancien ministre de Nelson Mandela et le président de l'ONG GAIN (Global Alliance for Improved Nutrition). Ils proposent un modèle de développement fondé sur les idées suivantes :

– compte tenu de l'aide publique en France qui tend à diminuer (en 2013, 0,46 % du revenu national brut contre un objectif de 0,7 %), compléter cette aide par des coalitions d'acteurs rassemblant le secteur public, les entreprises, les ONG, les acteurs de la société civile ;

– inventer des modèles qui renforcent la capacité d'agir des communautés sur le terrain en faveur de leur propre développement en priorité dans l'agriculture familiale en Afrique subsaharienne, où les besoins sont énormes et urgents ;
– créer des outils de financement où l'aide apportée soit en partie reliée à l'évaluation des impacts sociaux et environnementaux des projets.

Cette recommandation s'inspire du concept de *social impact investment fund* dont le promoteur est le Britannique Sir Ronald Cohen. Fondateur d'Apax partners, un des plus grands fonds dans le monde de *capital risk*, il se consacre désormais à des fonds tels que Bridge Ventures qui délivre à la fois des retours financiers et des retours sociaux et environnementaux mesurables.

La crise de 2008 a favorisé un foisonnement d'idées, d'initiatives qui constituent une tendance lourde autour du modèle d'entreprise orienté vers la création de valeur sociétale selon une logique de mutuel avantage. Ces idées pourraient être porteuses de grands changements si les entreprises et les investisseurs s'engageaient fortement dans cette voie.

C'est l'objet du chapitre *Vision d'avenir*.

10

Double projet : Quel bilan ?

Mars 2013. Dans la préface du rapport de responsabilité sociale de Danone, Franck Riboud écrit :

> Dans ce monde en bouleversement, le double projet économique et social, dont Danone a fêté le quarantième anniversaire, demeure la boussole qui guide notre action. Cette vision permet à l'entreprise de s'adapter aux contextes locaux pour inventer les bons modèles qui créent de la valeur économique mais aussi de la valeur sociale et environnementale.

Le double projet a résisté à l'épreuve du temps.

Certes, son intensité a varié durant les périodes. Aux initiatives sociales fortes ont succédé des périodes où il vivait sur son acquis. Mais au final, c'est une crise – Mai 68 – qui l'a fait naître, et ce sont d'autres crises qui l'ont renforcé : les restructurations des années 1970, le choc de la mondialisation, LU ou encore la crise financière en 2008. Dans dix ans, dans vingt ans, existera-t-il encore chez Danone ? Nul ne peut le dire. Quel serait l'héritage à préserver, sachant qu'il n'existe pas un texte de référence, seulement quelques écrits vite datés ? Selon moi, c'est une conception de l'entreprise héritée du discours de Marseille fondée sur l'idée de responsabilité à l'égard de ses salariés et de la société qui a débouché sur une culture d'initiative à l'égard des enjeux sociaux et sociétaux.

La question qui vient à l'esprit pour juger le bilan du double projet chez Danone est la suivante : quel a été son impact pour les salariés et pour l'entreprise ?

L'évaluation économique et sociale suppose, sur une expertise extérieure et neutre, deux conditions que ne remplit évidemment pas l'auteur de ce livre.

Aussi je me limiterai à quelques éléments d'appréciation.

Les salariés de Danone sont-ils plus satisfaits et motivés que dans les entreprises comparables ?

J'ai posé la question à Douglas Rosane, le directeur international des études du cabinet Towers Watson. C'est probablement le meilleur connaisseur des perceptions des salariés de Danone. Depuis 1999, il coordonne les enquêtes qui sont menées tous les deux ans auprès des salariés. Par ailleurs, lui et son cabinet mènent des enquêtes similaires dans des centaines de sociétés dans le monde et sont donc à même de comparer les résultats. Voici son commentaire :

> Danone est dans le quartile avancé des entreprises performantes au plan social mais pas dans le top 10. La performance sociale couvre les grands thèmes RH comme les conditions de travail, le développement des personnes, la formation, la clarté des politiques de rémunération, la communication, etc. Ce qui caractérise le mieux Danone, c'est le niveau très élevé d'engagement de ses salariés, sa culture d'entreprise fondée sur la liberté d'entreprendre et la capacité de l'entreprise à se réinventer.

Selon Towers Watson, l'engagement est le résultat de plusieurs critères qui sont autant de points forts perçus par les salariés de Danone : l'adhésion à la stratégie, l'attachement à la culture d'entreprise et aux valeurs, la fierté d'appartenance et la motivation à faire réussir leur entreprise.

Ces résultats positifs permettent-ils de dire que les collaborateurs de Danone sont plus épanouis que ceux d'autres grandes sociétés comparables, comme Nestlé, Mars, Procter ou Unilever ? Des indicateurs existent pour évaluer les conditions de travail ou la rémunération, mais lorsqu'il s'agit de notions complexes comme l'épanouissement ou la satisfaction, l'interprétation des résultats est un exercice difficile. Une étude de la Cofremca menée dans les années 1990 portant sur la satisfaction des salariés dans les grandes entreprises était à cet égard éclairante. La satisfaction était corrélée avec une centaine de facteurs sur un échantillon de plusieurs dizaines de milliers de salariés. Les résultats montraient que la rémunération, les conditions de travail, la formation, la carrière ou le management étaient des facteurs importants, mais qu'un facteur déterminant était « le sentiment de travailler dans une entreprise bien gérée et rentable ».

Autrement dit, évaluer la satisfaction indépendamment des résultats économiques a une faible signification.

C'est particulièrement vrai pour les sociétés qui affrontent une passe économique difficile. Dans ces périodes, ce qui fait la différence, ce n'est pas le niveau de satisfaction qui peut changer très rapidement, c'est le niveau de confiance des salariés dans le management et la stratégie.

Le double projet est-il un avantage compétitif pour Danone ?

Il existe un large consensus pour estimer que le fort engagement des salariés impacte positivement les performances économiques et que la bonne image du groupe en matière de responsabilité sociale dans de nombreux pays l'aide à attirer et retenir d'excellents professionnels et à renforcer sa réputation. Mais lorsque la situation économique de Danone se dégrade, deux critiques récurrentes sont exprimées par les dirigeants en retrait par rapport au double projet. Ils soulignent que l'image sociale de Danone met l'entreprise en première ligne des sociétés symboles à dénoncer lors d'une crise comme LU par exemple. Ils craignent aussi que lorsqu'une société du groupe traverse de fortes difficultés économiques, la détermination des dirigeants à redresser l'entreprise soit freinée au nom du respect des valeurs et des principes sociaux. Argumenter sur les vertus économiques d'une politique sociale ambitieuse peut être un débat sans fin tant il est biaisé par les a priori des interlocuteurs. J'ai le souvenir, dans les années 1980, d'Antoine Riboud répondant à un patron d'une filiale de BSN affichant des convictions libérales pures qui critiquaient l'expression des salariés : « Apportez-moi la preuve que l'expression dégrade la performance de votre entreprise, ensuite nous aviserons. »

Il n'y a jamais eu de suite car il est aussi difficile d'apporter la preuve de la rentabilité de l'expression que du contraire. Dans d'autres sociétés, il a suffi que le président inverse la charge de la preuve en disant : « Apportez-moi la preuve que l'expression améliore la performance » pour décourager les initiatives.

La preuve économique dans le champ du social est rarement apportée. Lorsque c'est le cas, elle fait peu changer les points de vue des acteurs suscitant des débats sans fin sur ce qui est déterminant dans les résultats obtenus. Par exemple, une progression des ventes est-elle due à la publicité, à la formation ou au management ? Franck Riboud, interrogé sur l'impact économique du double projet, a coutume de répondre : « Danone a de bons résultats grâce au double projet et on a le double projet grâce à nos bons résultats. » C'est un fait : entre 1980 et 2010, BSN puis Danone a connu une performance remarquable dans la durée, une des meilleures parmi les grandes entreprises françaises comparables. Cela dans un environnement darwinien où les entreprises fragiles disparaissent.

Ainsi, sur les 100 premières sociétés de l'industrie française de 1977 (source : premier classement des 1 000 de l'*Expansion* de novembre 1978) :

– 66 sociétés ont soit disparu, soit été rachetées ; parmi elles, 5 faisaient partie de la tête du classement : Elf Aquitaine n° 4 du classement 1977, CGE n° 5, Pechiney-Ugine-Kuhlmann n° 7, Rhône Poulenc n° 8 et Thomson-Brandt n° 9 ;

– 20 sociétés françaises existent toujours sachant que 14 sociétés étaient de nationalité étrangère : Total (ex Compagnie Française des Pétroles) n° 1, Renault n° 2, PSA Peugeot-Citroën n° 3, Saint-Gobain-Pont-à-Mousson n° 6, Schneider n° 10, Michelin n° 11, BSN-Gervais Danone n° 16, Air Liquide n° 24, Lafarge n° 26, Dassault Breguet n° 28, L'Oréal n° 32, Sodima devenu Sodiaal n° 34, Ferodo devenue Valeo n° 38, Pernod Ricard n° 40, Snecma devenue Safran n° 46, Bouygues n° 53, Fromageries Bel n° 69, Technip n° 75, Bic n° 78 et Bongrain n° 85. Parmi ces 20 sociétés, 15 font partie du Cac 40 en 2015 ; – celles qu'Antoine Riboud appelait les cathédrales de Chartres et auxquelles font référence James Collins et Jerry Porras dans leur best-seller

Built to last (1995). Ces auteurs s'interrogent sur ce qui fait la réussite des entreprises dans la durée. Un facteur clé est une culture forte et ouverte aux changements. Ils constatent que deux entreprises peuvent avoir des cultures radicalement différentes et avoir connu toutes deux une grande réussite durable. Ils en déduisent que le facteur de succès n'est pas le contenu de la culture d'entreprise mais le degré d'adhésion de l'entreprise à cette culture et la manière dont elle est vécue par les gens. Ce qui compte, c'est la force de cohésion de la culture, moteur de l'action collective. Mon expérience rejoint cette analyse. Je crois que, pour Danone, le fait d'avoir une culture forte, partagée et qui intègre les évolutions est un atout important. Cette culture ne se résume pas au double projet mais il en est la dimension la plus distinctive et la plus porteuse de sens.

Danone, entreprise pionnière

Ce qui, selon moi, distingue le plus Danone, c'est son rôle d'entreprise pionnière dans le champ de la responsabilité sociale et sociétale.

Un jour, Emmanuel Faber, récemment nommé directeur général des finances, me demande le discours de Marseille. Après l'avoir lu, il m'écrit :

J'ai lu le discours et l'ai trouvé passionnant. Je pense qu'il y a matière à aller plus loin autour du thème : ne pas contourner les problèmes mais les comprendre et offrir des solutions originales car c'est l'axe différenciant.

D'autres entreprises que Danone ont été des entreprises pionnières. En France par exemple : Lafarge, Michelin, Renault, Peugeot, Schneider, L'Oréal, Essilor, sans parler de Rhône-Poulenc ou Pechiney qui ont disparu, et d'entreprises plus petites tout aussi innovantes.

Ce qui caractérise Danone, c'est le nombre des initiatives, leur impact et la durée : plus de quarante ans. C'est aussi la volonté de changer la relation entre les entreprises et la société. J'avais demandé à Jean-Léon Donnadieu ce qui avait, selon lui, poussé BSN à prendre des initiatives et à se différencier de ses pairs. Il a souhaité prendre un temps de réflexion et m'a répondu dans une lettre :

La grande entreprise dans la durée ne peut se différencier fortement de ses pairs. Elle peut les influencer, créer le mouvement, les contaminer peu à peu. Il n'y a pas de victoire visible dans cette lutte mais il est certain que sans ces « éclairés », les choses ne changeraient pas. On s'apercevra demain ou après-demain de l'apport considérable d'Antoine

Riboud pour faire évoluer les entreprises au cours des années 1970 et 1980.

Voici quelles ont été, selon moi, les actions les plus marquantes :

1970 : création d'**Entreprise & Progrès** par François Dalle et Antoine Riboud, association patronale visant à développer des propositions en rupture avec les positions conservatrices du CNPF (Medef) après Mai 68.

1971 : co-création du **Cedep** sur le campus de l'Insead, centre de formation au management des cadres, suite à une idée de Guy Landon (L'Oréal).

1971 : création de l'association **Progrès et Environnement** par Antoine Riboud, visant à lutter contre la pollution occasionnée par les emballages perdus qui a lancé notamment l'opération **Vacances Propres**, dont la mission est « le geste propre qui respecte l'environnement des sites de vacances ».

1972 : **discours de Marseille** qui a stimulé le débat sur la responsabilité des entreprises et la prise en compte des aspirations de Mai 1968.

1973 : les **ACVT**, qui ont été une des références de la loi Auroux sur l'expression des salariés.

1974 : les **rendez-vous d'Assas,** nés de l'affaire Lip. Club d'échanges informels entre patrons réformateurs et dirigeants de la CFDT, qui a contribué à transformer le dialogue social en France et a été le creuset de la modernisation négociée des années 1980.

1976 : **Antennes Emploi** et reconstitution des activités pour accompagner les restructurations. BSN n'a pas inventé ces pratiques remontant à la reconversion des Charbonnages de France mais, avec Rhône-Poulenc Textile, leur a donné un nouvel essor dans le contexte de la crise pétrolière. Ensuite BSN, en concertation avec l'UITA, a déployé ces pratiques en Europe dans les années 1980 et à l'international dans les années 1990.

1980 : négociation sur la **5ᵉ équipe chez BSN Emballage**, qui a été une référence pour les accords de modernisation négociée dans les années 1980 sur une base gagnant-gagnant.

1985 : **accord de BSN avec l'UITA**. BSN a été la première entreprise à accepter le dialogue social avec les syndicats internationaux, d'abord au plan européen, puis au plan international. La première aussi à avoir signé des accords cadre à portée internationale. En 2013, neuf accords sont en place portant sur l'emploi, la diversité, le dialogue social, la sécurité, la santé, les conditions de travail et le stress. Cette initiative a créé un mouvement, y compris parmi les entreprises américaines, à l'origine tout à fait opposées.

1987 : rapport *Modernisation, mode d'emploi* à la demande du Premier ministre Jacques Chirac.

317

Son impact pédagogique a favorisé les initiatives de modernisation négociée associant technologie, organisation qualifiante, formation et dialogue social.

1992 : création d'**Éco-Emballages**, organisation dont la vocation est le financement et le conseil aux collectivités locales en matière de tri, collecte et recyclage des emballages en France. Elle est directement inspirée du rapport demandé par le ministre de l'Environnement Brice Lalonde à Antoine Riboud, qui préconisait une redevance acquittée par les producteurs sur chaque emballage.

2001 : **Danone Way**, démarche concrète de mise en œuvre de la responsabilité sociale vis-à-vis de ses salariés et des partenaires. Une bonne pratique adoptée par d'autres entreprises.

2006 : **danone.communities**, Sicav fondée avec Muhammad Yunus sur la base de l'expérience Grameen Danone. Sa mission est la création de *social business*, c'est-à-dire d'entreprises dont la vocation est la création de valeur au profit des parties prenantes : *consommateur du bas de la pyramide, salariés, communautés locales*.

2009 : tribune de Franck Riboud dans le journal *Le Monde* sur le rôle de l'entreprise dans le contexte de la crise. Il annonce la création d'un **Fonds Danone Écosystème** doté de 100 millions d'euros, visant à renforcer le tissu économique dans l'écosystème où opèrent les filiales de Danone (agriculteurs, micro distribution, territoires…).

2010 : programme Dan'Cares, visant à garantir aux collaborateurs de Danone dans les pays émergents une couverture maladie. 60 % de ses salariés vivent en effet dans des pays qui n'offrent pas ou peu d'assurance maladie. Ce programme, déployé en 2011 et 2012, dans huit pays dont la Chine, l'Indonésie, le Mexique, la Pologne et la Russie, a concerné 28 000 salariés. Plusieurs entreprises internationales sont en train de mettre en œuvre un programme similaire à celui de Danone, sachant que c'est aussi un levier pour attirer et retenir le personnel. Ainsi en Chine, en Indonésie et au Mexique, Dan'Cares a permis de réduire fortement le *turn over*.

2011 : Fonds Carbone Livelihoods. La mission du fonds est d'investir dans des projets générateurs de crédits-carbone associés avec une action d'aide aux communautés rurales. Dix entreprises participent au fonds créé par Danone.

2015 : Livelihoods pour l'agriculture familiale. Danone et Mars annoncent la création d'un fonds dédié au développement des approvisionnements agricoles durables des entreprises auprès d'exploitations familiales. L'objectif est d'investir 120 millions d'euros dans les dix prochaines années pour des projets en Afrique, Asie et Amérique latine.

Livelihoods, Dan'Cares ou Danone Écosystème sont des illustrations d'initiatives pionnières car elles réunissent deux caractéristiques : un concept innovant et un déploiement à grande échelle. Ce dernier critère est essentiel, car si beaucoup d'entreprises conduisent des expériences qui leur permettent de raconter des belles histoires (*storytelling*), elles sont beaucoup plus rares à générer des initiatives dont l'impact est fort, durable et, du fait de leur valeur d'exemple, déployées internationalement.

Le 1er octobre 2014, Emmanuel Faber est nommé directeur général de Danone, Franck Riboud restant président. C'est la première fois, depuis la création de BSN en 1966, que la direction opérationnelle du groupe n'est pas assurée par un Riboud.

C'est un moment important pour le futur du double projet. Alors qu'en matière de stratégie, Franck Riboud avait très vite marqué une rupture avec son père, en matière de culture, il s'était inscrit dans la continuité. Ce sera le cas aussi longtemps que la culture Danone favorisera des initiatives innovantes qui créent de la valeur économique, sociale et sociétale. Ma conviction est que cette culture d'entreprise est appelée à durer.

11

Vision d'avenir

La saga de Danone illustre, à l'échelle d'une entreprise, des questions qui concernent la plupart des grandes entreprises internationales : celle de leur rôle social et sociétal. Fortes de leurs ressources, ces entreprises sont devenues, au côté des États, l'institution ayant l'influence la plus déterminante dans le développement économique du monde. Parmi les 100 plus importantes entités économiques dans le monde, 40 sont des grandes entreprises dont le chiffre d'affaires dépasse le PNB de nombreux pays (source : *The Economist* 2014). La réponse qui sera apportée à la question de leur rôle sera d'une grande importance. Or, la crise de 2008 a changé les termes du débat. Elle a amplifié les critiques à l'égard des sociétés internationales et simultanément multiplié les demandes à leur égard.

Haut et bas de la responsabilité sociale

Un bref rappel historique n'est pas inutile pour comprendre ce qui fait débat aujourd'hui, sachant que la manière dont il évoluera aura, je crois, une portée considérable.

Le discours de Marseille d'Antoine Riboud témoigne que, dès le début des années 1970, l'idée d'une entreprise améliorant la qualité de vie en son sein et soucieuse de son environnement était déjà présente, portée notamment par l'école scandinave. Au cours des années 1980, les modèles japonais et rhénan ont en commun l'idée que la performance des entreprises est fondée sur les hommes car « ce sont eux qui font la différence ». Si la dimension humaine des entreprises est reconnue essentielle, la dimension sociétale est laissée au deuxième plan.

C'est alors que débarque en Europe la vague libérale inspirée par Milton Friedman, Prix Nobel d'économie et gourou de la déréglementation des années Reagan et Thatcher. Une dimension majeure de ce mouvement est le retour du pouvoir des actionnaires avec le concept de création de valeur pour l'actionnaire qui devient le standard de gestion imposé par les fonds d'investissement aux directions des sociétés.

Le cocktail déréglementation, création de valeur pour l'actionnaire et mondialisation favorise un nouveau modèle économique : l'entreprise sans usine : Gap, Apple, Mc Donald's, Nike, Enron…

Ces entreprises se concentrent sur le marketing, l'innovation, la finance et les achats, tandis que la vente est franchisée et la production sous-traitée à des fournisseurs qui délocalisent dans les sites au coût de production les plus attractifs en termes de rémunération, flexibilité et fiscalité.

Les entreprises traditionnelles de l'automobile, du textile ou des produits électroménagers s'efforcent de suivre la tendance en délocalisant et en sous-traitant. Au milieu des années 1990, les valeurs humanistes du discours de Marseille ont pris un sacré coup de vieux. Pourtant, quelques années plus tard, l'idée de responsabilité sociale est revenue au premier plan. Que s'est-il passé ? Un événement symbolique considéré comme fondateur est la bataille de Seattle menée par les altermondialistes en novembre 1999 à l'occasion du sommet de l'Organisation mondiale du commerce, qui dénonçaient les excès de la mondialisation et de la déréglementation.

Seattle avait été précédé par les procès contre Walmart, Mc Donald's et Nike sur le thème de l'exploitation inacceptable de leurs salariés ou du personnel employé par leurs fournisseurs. Le livre *No Logo* (2000) devient la bible des altermondialistes. Son auteur Naomi Klein dénonce non seulement les excès, mais cible aussi le talon d'Achille des grandes entreprises de consommation : leur réputation auprès de leurs clients et de leurs salariés et la valeur de leurs marques auprès des consommateurs.

C'est la stratégie qu'a menée l'association Attac contre Danone en 2001, en initiant le boycott des produits aux marques LU et Danone.

Philip Knight, le fondateur de Nike, est le symbole du revirement des dirigeants d'entreprise. Nike était une des principales cibles des altermondialistes, l'entreprise décide alors de jouer à fond la carte de l'entreprise socialement responsable pour désarmer les critiques. Elle s'engage à imposer à ses fournisseurs qui emploient des centaines de milliers d'employés, des codes de conduite qui respectent les droits des salariés et à financer un dispositif complet d'audit des engagements de Nike associant experts et ONG. Le scandale de la faillite d'Enron en 2001 est le moment décisif de retour vers plus de réglementation. Au cours des années 2000, les entreprises cotées en bourse mettent en place des codes de conduite complétés par des systèmes d'alerte, permettant aux fournisseurs et aux salariés d'alerter directement le siège social sur des comportements en contradiction avec les codes de conduite. La plupart publient des rapports de responsabilité sociale. Elles sont auditées par des agences spécialisées comme Vigeo en Europe créé par Nicole Notat, l'ancienne secrétaire générale de la CFDT. La qualité de leur responsabilité sociale est notée en parallèle à la qualité de leur situation financière. La référence est de faire partie du Dow Jones Social Index (DJSI) qui suit 3 300 entreprises citées appartenant à 59 secteurs de l'économie. Dans chaque secteur sont sélectionnés les 10 % des sociétés qui ont la meilleure notation et qui constituent le DJSI World. Dans l'industrie alimentaire, Unilever, Danone et Nestlé sont régulièrement les mieux notés sur les trois volets de l'évaluation : social, environnement et gouvernance d'entreprise. Au cours des années 2000, les pratiques des grandes entreprises ont progressé notamment dans les pays émergents, lieux des principaux excès. Néanmoins la tragédie du Rana Plaza Textile building au Bangladesh, en avril 2013, souligne que beaucoup reste à faire. La mobilisation autour de la responsabilité sociale des ONG, des agences de notation, ou des media a rééquilibré le rapport des forces entre les grandes entreprises et les acteurs de la société qui disposent d'une arme puissante : la réputation de l'entreprise et de ses marques. Un moyen de mesurer les progrès est de comparer les pratiques des entreprises cotées obligées de rendre des comptes avec les pratiques des grandes entreprises locales dans des pays comme la Chine, l'Inde ou le Brésil. Ces dernières subissent beaucoup moins la pression des contrepouvoirs dans des domaines comme les conditions de travail de leurs salariés et des employés de leurs sous-traitants, les émissions de CO_2, la destruction de la forêt primaire, la pollution de l'air ou de l'eau, etc. Ainsi, les normes de pollution de l'air et d'émission CO_2 appliquées par Lafarge dans des pays comme la Chine ou l'Inde n'ont rien à voir avec les pratiques des cimentiers locaux. Lafarge a défini et applique un code de conduite strict car au-delà de la marque produit qui s'adresse aux consommateurs, il existe la marque entreprise, sa réputation. C'est un atout crucial pour obtenir l'autorisation d'investir dans un pays ou comme employeur pour attirer et retenir les fameux « talents ».

L'adoption des nouvelles règles en matière de responsabilité sociale n'a pas posé de grandes difficultés car beaucoup de dirigeants avaient pris conscience que cela favorisait l'acceptation des entreprises internationales et ne créait pas une distorsion de la concurrence, dans la mesure où la règle s'appliquait aussi à leurs principaux concurrents internationaux.

La crise de 2008 : un tournant ?

La crise économique transforme le débat. Les entreprises internationales ne sont plus seulement critiquées pour leurs pratiques à l'égard de leurs employés, de leurs fournisseurs ou de l'environnement, elles sont associées à la crise du modèle de la mondialisation libérale caractérisé par la montée des inégalités, l'appauvrissement des États et des classes moyennes. Le décalage entre la prospérité perçue des grandes entreprises et le sentiment de crise vécu par une large partie de la société nourrit la vigilance et les frustrations. La préférence pour l'actionnaire, qui avait résisté aux pressions en adoptant l'approche responsabilité sociale, est remise en cause. Le retour de balancier est net. Un symbole de ce retournement est la tribune dans *Le Monde* du 5 janvier 2010 de Klaus Schwab, le fondateur et président du forum économique de Davos, le club le plus puissant de promotion de la mondialisation. Il plaide pour que les entreprises passent de la logique du bénéfice pour l'actionnaire (*shareholder value*) à celle du bien public (*stakeholder value*).

En 2011, McKinsey rédige un rapport relatif aux dix principaux défis que doivent relever les entreprises internationales. Quatre concernent la relation des entreprises avec la société :

Défi n° 1 : la globalisation *underfire*, la tendance des pays à se replier sur eux-mêmes et la remontée du local.

Défi n° 2 : l'érosion continue de la confiance à l'égard des entreprises internationales.

Défi n° 3 : le rôle accru des États.

Défi n° 9 : l'importance croissante des réseaux sociaux.

Face à ces défis, le message de responsabilité sociale montre ses limites. Il réduit le risque de malus aux entreprises qui respectent leur code de conduite, mais n'apporte pas de bonus aux meilleurs conducteurs. En terme défensif, c'est une démarche pertinente mais ce n'est pas une démarche qui permet de répondre à la demande d'utilité pour la société adressée aux grandes entreprises en contrepartie de leur puissance. S'engager dans cette voie nécessite une nouvelle approche du rôle de l'entreprise dans la société. Une approche qui ne se contente pas de code de conduite mais qui invente de nouveaux modèles où la performance économique est conjuguée avec la performance sociétale. Cette idée de création de valeur économique et sociétale a été formulée par Porter et Kramer dans un article célèbre de la *Harvard Business Review* de janvier 2011 intitulé « *The big idea : creating shared value* » – créer de la valeur économique de manière qu'elle crée aussi de la valeur pour la collectivité en répondant à ses besoins. Selon ses auteurs, cette conception du rôle des entreprises leur apportera une nouvelle vague d'innovation et de productivité. Elle permettra de changer leurs relations dégradées avec la société : « *Learning how to create share value is our best chance to legitimize business again.* » Cette approche converge avec la réflexion qui a donné naissance au fonds Danone Écosystème et au fonds Livelihoods, dont l'objet même est la création de valeur partagée.

Vision d'avenir

Imaginons la vision d'avenir suivante : nous sommes en 2025, les consom-acteurs, par leur hyper activité sur Internet, ont créé une nouvelle relation avec les marques. Cette pression constante a d'abord influencé les politiques prix et qualité, elle concerne désormais le rôle des grandes entreprises dans la société au point que la création de valeur partagée est devenue un standard de management.

Dans le champ qui les concerne, les entreprises sont engagées dans une politique systématique de partenariat visant à créer de la valeur économique et sociétale à toutes les étapes du cycle de production et de commercialisation. Cette démarche commence en amont avec les fournisseurs et se poursuit en aval jusqu'au recyclage maximum des matières utilisées.

L'économie circulaire s'est ainsi imposée comme un impératif. Il en résulte que chaque année, des dizaines de milliers d'initiatives sont mises en œuvre associant les ONG, le monde associatif local, les entrepreneurs sociaux, les collectivités, les organisations internationales, etc. La plupart des secteurs sont concernés : éducation, santé, agriculture familiale, habitat social, services urbains, malnutrition, accès à l'énergie, accès à l'eau potable, culture, réinsertion…

Beaucoup, parmi les 3 000 grandes entreprises mondiales, ont créé seules ou en association avec d'autres des incubateurs de solutions qui stimulent ces initiatives. Ces démarches s'appuient sur de nouveaux instruments de financement soit direct, soit au travers d'un fonds ou d'une fondation qui conduit les entreprises à investir chaque année entre 0,5 et 1 % de leur valeur ajoutée (chiffre d'affaires dont on déduit les achats) dans des actions de création de valeur partagée.

Un bilan vient d'être réalisé sous l'égide de l'ONU. Les résultats sont contrastés. Dans de nombreux cas, l'efficacité des entreprises, leurs ressources financières, leur capacité à mobiliser des compétences associées avec l'engagement local des partenaires ont permis une croissance multicritères dite inclusive – c'est-à-dire un développement qui améliore à la fois le niveau de vie des populations locales les plus modestes, leur accès à la santé et à la formation. Mais cet aspect positif du bilan est entaché par les abus d'entreprises qui, sous couvert de bonnes actions dans les écoles ou les hôpitaux, s'installent dans les cantines ou modifient les protocoles de soins. Une grande vigilance est nécessaire à l'égard des pratiques d'instrumentalisation commerciale des causes d'intérêt général. La ligne jaune est pourtant difficile à définir. Les acteurs qui représentent les intérêts de la collectivité sont les plus légitimes à le faire. L'enseignement est clair : pour que les bénéfices de ces partenariats soient partagés équitablement, il faut que ces acteurs soient exigeants, compétents et légitimes. La bonne gouvernance de ces partenariats est la condition indispensable de leur succès et de leur pérennité. En conséquence, l'ONU préconise des évaluations menées par des experts indépendants dont les rapports seraient accessibles sur Internet. Si cette démarche de certification transparente est généralisée, les experts estiment que la création de valeur partagée sera un facteur important de progrès économique et social dans les pays ou les régions bien gouvernés.

Utopie ou réalité ?

Cette vision d'avenir est-elle crédible ou est-elle utopique ?

Pour André Comte-Sponville, la crise de 2008 ne change pas les fondements du modèle capitaliste, car ce qui fait son efficacité, c'est qu'il fonctionne sur l'égoïsme et pas sur les bons sentiments : « Refonder le capitalisme en revenant à ses fondements éthiques est une impasse car le capitalisme par nature est amoral. »

Cette affirmation a le mérite de poser la question : quelles sont les forces nouvelles qui pourraient conduire les investisseurs et les dirigeants d'entreprises à s'engager dans la société ?

Thomas Friedman[1] apporte une réponse dans son livre *La terre est plate* :

> Le meilleur moyen de changer le monde consiste parfois à demander aux acteurs de faire une bonne action pour de mauvaises raisons parce que l'on risque d'attendre longtemps si l'on veut qu'ils agissent pour de bonnes raisons.

Il est vrai que les initiatives basées sur l'éthique des dirigeants sont fragiles, car susceptibles d'être remises en cause après leur départ, alors que celles qui sont fondées sur l'intérêt mutuel ont un socle solide. Mais si la logique d'intérêt est un bon moteur de déploiement, l'origine des actions les plus innovantes, on trouve l'engagement essentiel de dirigeants visionnaires.

---

1. Thomas Friedman, *La terre est plate*, Saint-Simon – 2006.

Pour le professeur Henri-Claude de Bettignies[1], qui a formé des centaines de dirigeants internationaux et les a fait travailler sur leur « boussole » (*social compass*), « les chefs d'entreprises les plus lucides s'engagent pour éviter un monde ingérable. Ils ont une voix intérieure (*inner voice*) qui fonde leur sens du bien commun. » Si les écoles de management avaient mieux résisté à la vague de création de valeur pour l'actionnaire, peut-être aurait-on vu émerger dans les années 2000 une génération de dirigeants avec des motivations un peu moins dominées par leur enrichissement personnel. Toujours est-il que c'est l'alliance des convictions de quelques-uns et de l'intérêt bien compris qui est le meilleur garant de la pérennité des actions.

Le mouvement des années 2000 en faveur de la responsabilité sociale en est une bonne illustration. En peu d'années, les pionniers ont été suivis par la majorité. Aujourd'hui, de nombreux dirigeants ont pris acte que la raison d'être d'une entreprise, son utilité sociale est au cœur de l'engagement de leurs salariés, du soutien des parties prenantes et de la coopération avec l'environnement. Des recherches sont en cours, notamment avec l'université d'Oxford, qui

---

1. Henri-Claude de Bettignies, *Business globalization and the common good*, Peter Lang – 2009.

montrent la force d'un modèle qui valorise non seulement le capital financier et le capital humain mais aussi le capital social (confiance, cohésion sociale, réputation). Dans un contexte où l'accès au financement n'est plus la ressource rare, il est probable que le modèle est plus performant dans la durée que celui préconisé par Milton Friedman, centré sur la seule valorisation du capital financier. Un enjeu déterminant pour le futur est celui de la relation des consommateurs aux marques autour de la question clé suivante : dans quelle mesure l'engagement et l'utilité sociétale de l'entreprise influencent-ils l'attitude des consommateurs à l'égard des marques ? Si la réponse à cette question est que l'utilité sociale attribuée aux marques prendra une importance croissante pour les consommateurs, il est possible d'envisager un *new deal* entre les grandes entreprises et la société reposant sur une logique d'intérêt bien compris.

Des signaux existent, qui montrent que les intentions d'achat des consommateurs sont influencées par des considérations altruistes dans la mesure où ils font confiance aux marques. Certaines comme Patagonia ont su capitaliser sur leur engagement sociétal. C'est aussi le cas de marques du commerce équitable ou de certaines marques bio comme Stonyfield aux États-Unis, dans laquelle Danone est actionnaire depuis 2005, qui a créé en France la société Les 2 Vaches.

Un accélérateur des évolutions est la révolution numérique. Encore récemment, les consommateurs regardaient passivement la publicité devant leur télévision. La grande nouveauté est l'émergence, avec Internet, des réseaux de consom-acteurs qui ont un pouvoir croissant d'influencer les consommateurs, demain les actionnaires. Est-ce un hasard si l'une des plus remarquables initiatives menées en France ces dernières années est l'école 42, cofondée par Xavier Niel, un pionnier des réseaux Internet qui bénéficie indirectement à l'image de Free ?

L'environnement compétitif change rapidement. Pour affronter les entreprises agiles et innovantes, championnes de l'économie numérique et des objets connectés, un atout des grandes entreprises est la force de leurs marques. Si l'utilité sociale devient un attribut essentiel des marques, un champ passionnant d'initiatives se développera dans lequel, je l'espère, les sociétés de Danone continueront à jouer un rôle pionnier.

Brève histoire du groupe

La double origine du groupe : Danone et BSN

Le groupe Danone est né en 1973, mais il avait déjà une longue histoire. Un héritage formé de la culture de deux entreprises, Danone et BSN, et de deux personnalités, Daniel Carasso et Antoine Riboud.

Danone

Danone naît à Barcelone en 1919. Son fondateur, Isaac Carasso, décide de développer le yaourt, produit aux bienfaits reconnus dans les Balkans mais alors inconnu en Espagne. Les premiers yaourts sont distribués en pharmacie sur recommandation médicale. Le nom Danone fait référence au surnom « Danon » – Daniel en catalan – qu'Isaac Carasso donnait à son fils Daniel.

Dix ans plus tard, en 1929, c'est Daniel Carasso qui, à vingt-cinq ans, crée Danone en France. L'entreprise se développe rapidement. Pendant la guerre, Daniel Carasso trouve refuge aux États-Unis où il crée en 1942 Dannon Yogurt.

Les années 1950 et 1960 sont des années de fort développement des trois sociétés Danone. En 1967, Daniel Carasso décide de fusionner Danone France avec les fromageries Gervais, son partenaire dans la distribution des produits frais. Gervais Danone devient alors le premier groupe français de produits laitiers frais et se diversifie dans les pâtes en rachetant Panzani.

BSN

BSN naît en 1966 de la fusion de Souchon-Neuvesel – société lyonnaise leader en France des bouteilles et des pots en verre – avec Boussois – deuxième producteur français de verre plat. Elle emploie 8 800 salariés. Son président est Antoine Riboud, directeur général de Souchon-Neuvesel depuis 1960. Fin 1968, BSN lance une OPA hostile sur Saint-Gobain, société trois fois plus importante que BSN, pour devenir leader mondial du verre. Suite à l'échec de l'OPA, Antoine Riboud décide d'une stratégie alternative en développant l'activité verre d'emballage en aval vers l'eau, la bière et l'alimentation infantile, autant de clients majeurs des bouteilles et des pots de BSN.

Début 1970 sont acquis Evian, Blédina, Kronenbourg et l'Européenne de Brasserie (Kanterbrau). BSN est alors leader en France de l'eau minérale, de la bière et des aliments infantiles. La société emploie 40 000 salariés uniquement en France. En 1971, les acquisitions de Glaverbel (Benelux) et de Flachglass (Allemagne) permettent à BSN de devenir numéro 2 du verre plat en Europe.

1973 : La naissance du groupe BSN-Gervais Danone

Au cours de l'année 1972, Daniel Carasso et Antoine Riboud se rencontrent, et annoncent la fusion de leurs deux sociétés, donnant naissance en juin 1973 à BSN-Gervais Danone (qui après quelques années redeviendra BSN). Son président est Antoine Riboud. C'est le premier groupe français d'alimentation et de boissons. Son chiffre d'affaires est de 9 300 millions de francs (1,42 milliard d'euros), il emploie 74 000 salariés dans cinq divisions : verre plat, verre d'emballage, produits laitiers frais, boissons, épicerie.

Entre 1975 et 1979, la crise économique conséquence du choc pétrolier conduit BSN à mener une restructuration de ses sociétés verre plat en Allemagne, France et Benelux.

En 1979 et 1980, l'activité verre plat dont l'outil industriel a été modernisé est cédée.

En 1981, suite aux cessions, le chiffre d'affaires est de 3 milliards d'euros, BSN emploie 56 000 salariés (90 % en France).

Années 1980 : La conquête de l'Europe

Au cours des années 1980, dans le contexte de la création du marché unique, BSN poursuit une stratégie de développement par acquisition accélérée avec l'objectif de devenir leader européen ou un fort numéro deux dans tous les secteurs d'activité de l'entreprise, notamment :

– dans l'épicerie, les acquisitions de Vandamme, La Pie qui chante (1980), Amora et Maille (1980), Liebig (1982), des pâtes Agnesi (1986), HP Foods (1988) ;

– dans la bière, participation dans Mahou (1979) Peroni (1988), San Miguel (1992), Alken Maes (1992) ;

– dans les produits laitiers frais, acquisition de Dannon US (1981), Danone Espagne (1992) et Galbani (1989) ;

– dans les eaux minérales, acquisition de San Gemini Ferrarelle (1987), Volvic (1993), Aguas de Lanjarón (1993) et des champagnes Pommery et Lanson (1983).

En 1986, BSN rachète LU et en 1989, les filiales de Nabisco en Europe (Belin, Jacob's, Saiwa, etc.) et devient leader européen des biscuits.

En 1992, le chiffre d'affaires est de 10,8 milliards d'euros, BSN emploie 58 000 salariés : 43 % en France, 50 % en Europe de l'Ouest, 7 % à l'international.

Au début des années 1990, suite à la chute du mur de Berlin, BSN s'implante très vite dans les pays de l'Est et en Russie dans les produits laitiers frais et les biscuits.

En 1994, le groupe change de nom pour avoir une notoriété conforme à ses ambitions mondiales : BSN devient le groupe Danone.

Au milieu des années 1990, il opère sur une dizaine de marchés de l'alimentation et des boissons.

Depuis 1993, il fait face à un environnement difficile lié à la montée en puissance des marques de distributeurs et des marques premiers prix, portées par la crise économique en Europe de l'Ouest.

1996 : Nouveau président, recentrage et mondialisation

En 1996, Franck Riboud succède à son père.

Le chiffre d'affaires de Danone est 12 800 millions d'euros, la société emploie 81 800 salariés. Il décide un recentrage sur les trois activités en croissance portées par des marques internationales : les produits laitiers frais, l'eau et les biscuits. La bière, l'épicerie et le verre d'emballage, soit environ 50 % du chiffre d'affaires, sont destinés à être vendus. L'internationalisation du groupe est accélérée.

Sont acquis, dans les produits laitiers frais : Clover en Afrique du Sud (1996), Serenissima en Argentine, Stonyfield aux États-Unis et dans les eaux minérales, Bonafont au Mexique (1995), Aguas Minerales en Argentine (1996), 50 % de Wahaha (1996) et Robust (2000) en Chine, Aqua en Indonésie (1998).

En 2000, le chiffre d'affaires est de 14,3 milliards d'euros, la société emploie 87 000 salariés : 14 % en France, 15 % en Europe de l'Ouest, 40 % en Asie, 21 % à l'international (hors Asie), principalement Europe de l'Est et Amériques.

2006 : La mission de Danone et l'acquisition de Numico

En 2006, le groupe définit sa mission : « apporter la santé par l'alimentation pour le plus grand nombre partout dans le monde ». Avec le *social business*, Danone explore de nouvelles voies suite à la rencontre entre Muhammed Yunus et Franck Riboud qui débouche sur la création en 1986 de Grameen Danone au Bangladesh puis de danone. communities. En 2007, il vend son activité biscuits à Kraft et acquiert Royal Numico, un des leaders mondiaux de l'alimentation infantile et de la nutrition médicale.

Danone renforce ainsi son positionnement sur la santé par l'alimentation. En 2008, le chiffre d'affaires est de 15,2 milliards d'euros, la société emploie 80 000 salariés.

Accélération dans les pays émergents

En 2010, suite à l'acquisition d'Unimilk en Russie, Danone est leader des produits laitiers frais en Russie.

Depuis 2011, la croissance du chiffre d'affaires ralentit, handicapée par la stagnation des ventes en Europe du pôle produits laitiers frais. L'essentiel de la croissance est apporté par les pays émergents.

En 2012, Danone porte sa participation dans la Centrale Laitière du Maroc, le leader du marché, de 29 à 90 %.

En 2013, Danone acquiert 51 % de FanMik, un leader des produits laitiers en Afrique de l'Ouest et en 2014, une participation de 40 % dans Brookside, le leader des produits laitiers en Afrique de l'Est.

Danone en 2015

En octobre 2014, Franck Riboud devient président du conseil d'administration et Emmanuel Faber est nommé directeur général.

En 2014, le groupe a réalisé un chiffre d'affaires de 21 144 millions d'euros. Ses principaux marchés sont la France (10 %), les États-Unis et la Russie (9 %), la Chine, l'Espagne, l'Indonésie, le Brésil, le Mexique et le Royaume-Uni (entre 5 et 7 %). Il emploie 100 000 personnes : 9 % en France, 28 % dans le reste de l'Europe, 27 % dans les Amériques, 28 % en Asie et 9 % en Afrique et au Moyen-Orient. Il est leader mondial des produits laitiers frais, numéro deux mondial de l'alimentation infantile et des eaux embouteillées (en volumes) derrière Nestlé, et leader européen de la nutrition médicale.

Remerciements

À Jean-Léon Donnadieu,
qui m'a encouragé à écrire ce livre et apporté son témoignage précieux pour la rédaction des premiers chapitres lors de trois jours d'entretiens à Dax.

À Pierre Labasse, ancien directeur de la communication et historien de Danone,
qui a accepté de relire mon livre, de vérifier les faits, d'enrichir son contenu, d'améliorer la forme.

À Michel Berry, Roland Besnainou, Daniel Chamard, Frédéric Dalsace, Patrick Degrave, Georges Egg, Bernard Giraud, Jacques Gourmelon, Patrick Gournay, Jean-Christophe Laugée, Emmanuel Marchant, Christian Morel, Bertrand Queffelec, Claude Peyrot, Stéphanie Rismont, Douglas Rosane, Olivier du Roy, Laurent Sacchi, René Sartoretti, Olivier Théophile, Catherine Malaval et Robert Zarader, pour leurs conseils utiles lors de la relecture des chapitres qui les concernaient.

À Anne-Laure Prévost et à mes enfants Pauline et Pierre, pour leur regard constructif de jeunes diplômés sur une histoire qu'ils ont eu la curiosité de mieux comprendre.

À Josiane Philippe, Agnès Grignon, Hélène Muchery, Martine Damour et Isabelle Desbourdes, pour leur aide indispensable à la réalisation du livre.

Et à Franck Riboud pour la confiance amicale qu'il m'a témoignée.

sagadanone@gmail.com

CET OUVRAGE A ÉTÉ COMPOSÉ PAR PCA
POUR LE COMPTE DES ÉDITIONS J.-C. LATTÈS
ET ACHEVÉ D'IMPRIMER EN FRANCE
PAR CPI BUSSIÈRE
À SAINT-AMAND-MONTROND (CHER)
EN SEPTEMBRE 2015

N° d'édition : 01. – N° d'impression : 2017668
Dépôt légal : septembre 2015